貞包英之
SADAKANE Hideyuki

地方都市を考える

「消費社会」の先端から

花伝社

地方都市を考える――「消費社会」の先端から◆目　次

はじめに

地方創生の狂騒のなかで

地方都市について、できるだけ「邪念」なく考える。それが、この本の主題である。「邪念」なく、というのは、地方の現実についてできるだけ先入観をもたないということを意味している。近年、地方創生に向けてその活性化を促す声が喧しい。直接的には、増田寛也らが二〇一四年に出したレポート（増田寛也編著『地方消滅』中央公論新社、二〇一四年）を契機として、地方都市の困難とその解決を語ることがブームになっている。増田らによれば、人口流出と出生率の低下によって、今後維持できない自治体が、二〇年あまりのうちに数多く現れるというのであり、だからこそその解決を政府主導で急がなければならないとされるのである。

その詳細や妥当性については、ここで詳しく論じない。地方が大きな人口減少期に入っていることは、たしかに否定しがたい事実である。ただしそれは地方からの人口流出や出生率の低下だけから、考えられるべき問題ではない。東京都豊島区が「消滅可能性が高い」自治体に入れられたことで騒動に発展したが、その場合にも、人口減少を補う海外からの移住を含めた社会的な移動や、婚外子に対する積極的な支援の可能性などはあまり考慮されなかった。それを含め、今後の地域の人口推移については、より多面的に考えられるべきだろう。

しかしこうした事実にかかわる問題以上に違和感が残るのは、地方の人口減少を焦点化し、性急にその解決を目指す姿勢そのものについてである。なぜ今、地方の人口減少は、大きな政治的な議題になっているのか。近代日本は、そもそも地方を犠牲に成長してきた部分を拭いがたく、だからこそ地方の活性化はしばしば課題とされてきた。近年でみても、大平総理大臣が主導した第三次全国総合開発計画（一九七七年）が「地方の時代」を訴えたこと、さらに九〇年代以降には地方都市の中心街の衰退を止めることを狙ったいわゆる「まちづくり三法」が整備されたことなど、地方活性化に向けた支援は継続的におこなわれてきた。

にもかかわらず、なぜ今さら地方の困難はあらたな話題のように主張されているのだろうか。高齢者さえ地方では減少し始めたという新規な局面の出現も影響しているのかもしれないが、それ以上に地方に「自立」を求める国の意向がそこには強く働いているようにみえる。財政の悪化や国際的問題の深刻化に伴い、地方に財政的、政治的リソースを削ぐことに国はためらいをみせ始めている。それでも地方の票を獲得したい政治家たちとの折衷案として、「地方創生」といった政策セットはつくられている。地方の自助努力を求める「地方創生」は、この意味では地方社会の要望以上に、国の側のより「利己」的な事情で産まれたトップダウンの課題としてあると考えたほうがよい。

ただし本書は、こうした政治的な「深読み」を追求したいわけではない。「地方創生」という論点に本書が違和感を抱くのは、地方の困難とその「解決」を全面に押し出す問題設定そのものに対してである。地方の困難は、そもそも本当に存在し、またそれは政策的に解消可能なものなのだろうか。「解決」を前提とする思考は、こうした疑問を封じることで、むしろ有害とさえいえる。それは何らかの政治的操作で簡単に変えられるものと地方都市で送られている暮らしをみなすことで、しばしばそこで送られている生活の切実さを無視してしまうためである。

一例を挙げれば、地方からの人口流出は、そう簡単に解決されるべき問題とはいえない。そもそも人びとが自分で選択し住む場所を決めることそれ自体は悪いこととはいえず、だからこそ人口移動は近代日本を貫き歴史的に実現されてきた。その意味で重要になるのは、それを性急に解決することではなく、そうした表面の現象の背後で、いかなる決断が、どんな歴史的状況のなかでくりかえされているのかを、より具体的にあきらかにすることである。それなしで流出を止めようとするのは、意味のない幻想か、または自分は大都市に住む／地方に定着することによって利益を得ながら、他人の行動を非難する傲慢な思いあがりにすぎない。

それを一例として、本書は地方の現在の暮らしを性急に「問題」化する一歩手前で、まずはできるだけその現状を慎重に分析していくことを目標とする。地方ではいかなる暮らしが営まれ、それはどんなメカニズムによって支えられているのか。それを真摯に探ることなしに、性急に地方社会の「問題」を「解決」しようとする試みは、結局、それを論じる政治家や学者、評論家に利益をもたらすだけのものに終わるしかないのである。

なぜ地方都市か?

以上の課題を実現するために本書は、抽象的にいえば、地方都市で生きている人びとの暮らしの動静をあきらかにする「社会記述(sociography)」をおこなっていく。地方都市では何を幸福として、何を目指して生活が営まれているのか、それを個人の水準からではなく、無数の人びとにくりかえし生きられる集団的な暮らしの水準から探ろうとするのである。

そのためにも、具体的な手がかりが必要になる。たとえば本書は地方都市の暮らしを、「空き家」や「超高層マンション」、「鉄道」や「自動車」、「観光」や「まちづくり」、「ロードサイド」や「ショッピングモール」や「仕事」といった具体的な場所や問題を取り上げ、あきらかにする。それらの場はさまざまな葛藤を引き起こしつつも、なにかしら必要なものとして生きられているのであり、それらを手がかりにして、地方都市の暮らしを左右しているより一般的な論理や力をできるだけ目にみえるかたちにしていくことを目指すのである。

ではなぜそもそも地方都市が、ここで考察の対象となるのだろうか。その理由は、大きく分けてふたつある。

まず単純に、日本社会に住むわたしたちの多くが、地方都市と深くかかわり暮らしているということ。地方都市とは何かと定義することは、案外むずかしい。そもそも現代では、ほとんどの人がすでに都市化された暮らしを送っているという意味で、かつてのように「都市」を村の外部に拡がる特別の生活空間とみる視点は意味を失っている。それゆえここでは都市を便宜的に、過疎的地域——総務省によれば二〇一〇年には過疎関係市町村に九一二万の人びとが暮らしていた——を除く日本社会の大部分とみておきたい。さらに政府の機関や企業の本社の集まる関東、近畿、中京の三大都市圏に暮らす人口（六五三七万人）を除くとすれば、ざっと五〇〇〇万、日本の人口の四割に及ぶ人が、「地方都市」で暮らしていることになる。

加えて現に、地方都市に居住している人だけではない。地方出身の第一世代、第二世代の数多くが大都市に暮らしており、また親や家族を地方都市に残す学生や単身赴任者も多い。さらに仕事や観光のために頻繁に行き来している人を含めれば、相当数の者が地方都市に切実にかかわりながら生きていることになる。この意味で地方都市は、けっしてマイナーな場所ではなく、むしろメジャーな生活空間として日本社会に拡がっている。

にもかかわらず問題は、地方都市にかんする語りが充分、展開されてきたようにみえないことである。メディアのなかで、また社会学や文学やサブカルの分野で、たとえば東京がしばしば語られてきたのに較べると、地方都市の暮らしはさほど言及されてきたとはいいがたい。

もちろん現在の政治的な狂騒のなかで地方都市の問題を論じる語りは増えており、また各々の地方都市の成功／失敗例を挙げる試みや、具体的な名所旧跡や自然についての語りを集める市史や観光ガイド的書物の出版も多い。ただしそれらのほとんどは、しばしばあまりに一般論に走るか、逆に具体的すぎるという意味で問題が残る。一般論に偏った議論はしばしば空虚なものに留まり、他方、あまりに具体的な議論は当の地方都市を一方的に讃える、または貶める井のなかの蛙的な議論に陥りやすいという意味で、両者とも実は、現実の地方都市とはあまりかかわりのないものになっているのである。

大切なことは、むしろその中間で、固有名をもった場所を参照しつつ、しかし複数の地方都市を動かすより一般的なメカニズムをあきらかにしていくことである。マネーや情報や権力など、地方都市の具体的な暮らしの背後には、それを貫くさまざまな力が働いている。そのかたちをたしかめることで、それぞれの都市の暮らしをたんに特殊なものとみるのではなく、あくまで現代社会の複雑な現象の一部分として理解することが、地方都市の現実を読み解くために大切になる。

本書は、その一例として地方都市についての「中間」的な語りを増やそうとするものだが、ただしたんにこれまでの語りの量が少ないから、地方都市について語ろうとするだけではない。第二に重要になるのは、地方都市が、日本社会がこれから向かう未来を、ぼんやりとではあれ、指し示しているようにみえることである。これまで地方都市は遅れた場とみなされることが多かった。あたらしい出来事はまず大都市で起こり、それが遅れて地方都市に伝わると考えられてきたのであり、だからこそ大都市が優先的に分析されてきたのである。

実をいえば、筆者も無意識にそうみなしていなかったとはいえない。地方都市が日本の未来を指し示すものとして筆者に切実にみえ始めたのは、厳密には二〇一一年の東日本大震災の後のことにすぎない。震災は多くの荒廃の地を産みだしたが、あえて不謹慎な言い方をすれば、それはこの日本社会が五〇年のうちに出現させるものを、いち早く目にみえるようにしたようにみえる。たとえばしばしば美談のように復興が語られるが、それが実現されたのは一部にすぎず、いまだ放置された住居や商店も多い。今後、発展が見込まれ、だからこそ若い人も集まりやすい街や商店街では、復興が比較的容易だったのに対して、そうではない被災地はしばしば取り残され、または放棄されている。人手が足りないことに加え、そもそも復興する価値がその土地にあるのかが、あらためて問われているのである。

それは程度の差はあれ、他の地方都市でも同じである。地方都市では近年郊外や駅前一等地での再開発が進むとともに、既存の商店街や住宅地の荒廃が進んでいる。しかしそうした取捨選択の姿は、大都市を含め日本全国で進行中の出来事を先取りしているものにすぎないようにもみえる。人口減少や高齢化が進んでいくなかで、使える場所、または使えない人が厳しく選別されているのであり、そうして日本全国で陥る困難を、地方都市、そして極端には震災の被災地は、時計の針を進めてみせてくれているのである。

ただしそうした困難な面だけで、地方都市は日本を先取りしているわけではない。土地や人の選別がおこなわれているのは、ひとつには地方都市にあらたなライフスタイルがより深く導入されているためである。そうして生活を変える力を本書は「消費社会」と呼び、分析の基軸に据える。「消費社会」の浸透は、既存の街の秩序を破壊するという意味で非難されるべき部分があるにしても、一方ではそれは、地方都市の暮らしを動かす力としてあらたな可能性をそこにつけ加えている。この「消費社会」が露骨な、また先端的な姿をみせている場所として、本書は地方都市に注目していくのである。

もちろん「消費社会」は、これまでたしかに大都市の生活とむすびつけ語られることが多かった。大都市に集まる新製品や、華やかなモードの展開が消費社会の内実と考えられてきたのである。

それはまちがいではないとしても、しかし今ではその段階を超え、消費社会はわたしたちの日常により深く、また一般的に根付いている。それがよく観察されるのが、地方都市のたとえば郊外の生活である。そこにはチェーンショップや巨大なショッピングモールが立ち並び、日常品、さらには自動車や住宅の購買がさかんにくりかえされているのである。

それらの場所を中心に、実際、量的にみても、地方都市では大都市にも匹敵する消費が続けられてきた。たとえば世帯の一か月あたりの消費支出を示す図1からは、全体では下降傾向を示しながらも、中都市——ここでは大都市（政令指定都市及び東京都区部）を除く人口一五万以上の市——での消費支出が、大都市や全国の平均を超え維持されていることが確認される。

中都市で多くの支出が積み重ねられているのは、ひとつには単純にそこでしばしば世帯人員が多いからである。ただしそれを含めてなお中都市の家族が、大都市以上に消費を重ねている

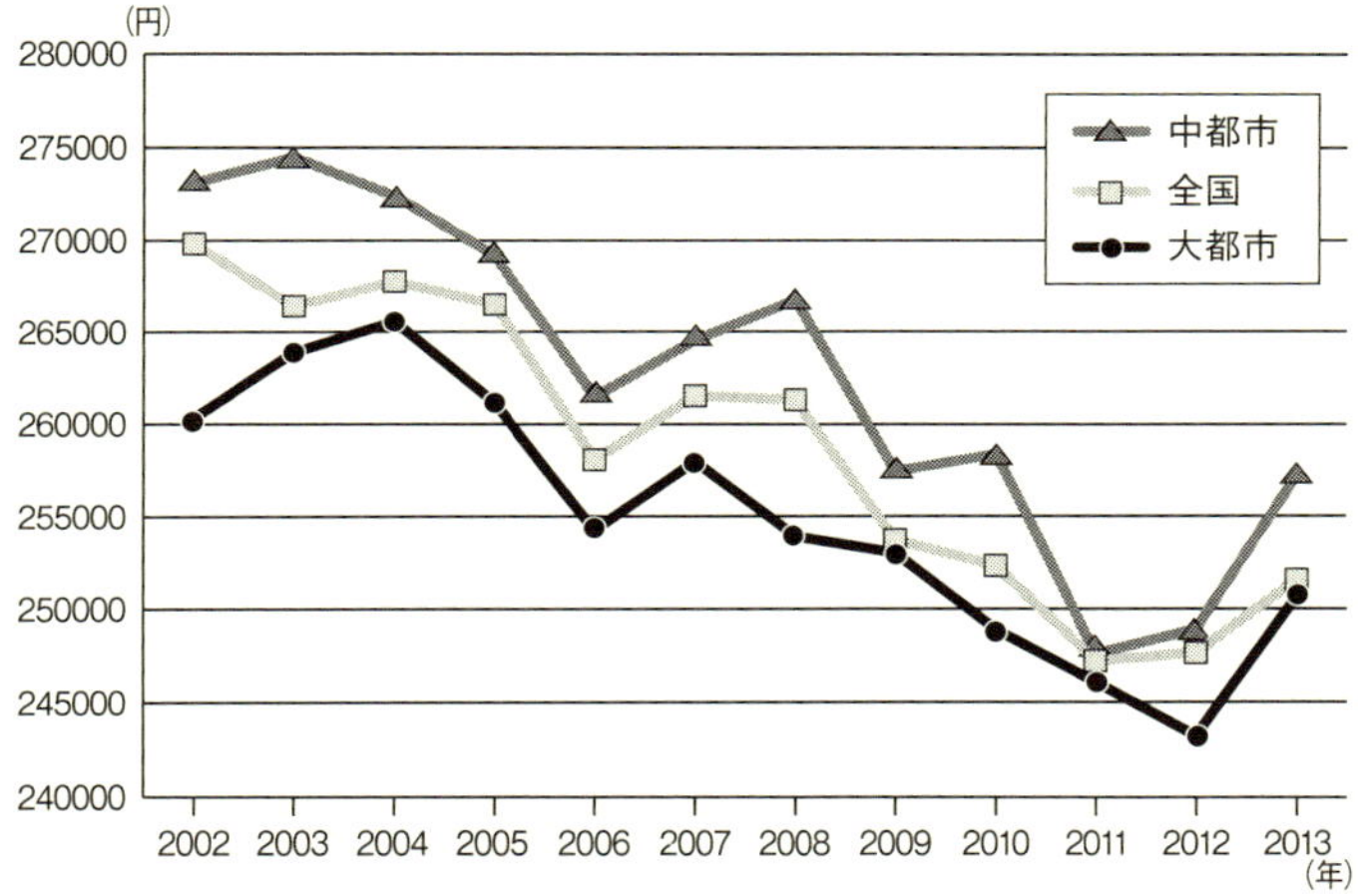

図１　１世帯あたり１ヶ月平均消費支出（総世帯）：家計調査

という事実は興味深い。家賃等の動かしがたい固定費が安く、大人数で住むことで無駄な出費が少なく、さらに一般的に食費等が安いといった状況のなかでなお、地方都市の家族は大都市の家族以上により多くの選択的な消費をおこなっているのであり、実際、食物に使った消費支出の割合を示すエンゲル係数をみても、二〇一三年で大都市では二四・六％だったのに対し、中都市では二三・〇％とより低く留まっている。

量的に地方都市では、大都市以上の消費が積み重ねられているだけではない。より構造的にみても、そこに「生産」以上に「消費」を中心とした社会が展開していることが注目される。戦後の経済発展のなかで、地方都市は産物の生産拠点として大きな役割をはたしてきた。当初は農水産物を、さらに高度成長期以降は工業製品を大量に出荷してきただけではなく、人材を大都市圏に送りだす拠点としても、地方都市は日本経済や政治のシステムのなかで大切な位置を占めてきたのである。

けれども現在では、そうした現実は急速に遠いものになっている。農業や製造業も海外から輸入される商品に価格競争や質で負け、大多数の地域で衰退している。さらには本書で詳しくみるように、地方から大都市へ向かう人口移動も、一般的な通念に反して、むしろ年々減少している。結果として、人材の「生産」地としても、地方の役割はますます小さくなっているのである。

その代わりに地方都市の生活のなかで比重を増しているのが、「消費」である。たとえば地方都市の経済活動を支えたかつての農地や工場の跡地には、今ではロードサイドショップやショッピングセンターなどが立ち並んでいる。それらの場所はたんに買い物のためだけではなく、遊び、また働く場としてもますます多くの人を集めている。その一方でたしかにかつての中心街や、生産の場としての湾岸や山林は廃れているが、それさえ今では、しばしば「歴史的」遺産として再創造され、大都市から観光客を引き寄せる消費のキラーコンテンツとなることが望まれているのである。

以上のような地方都市の再編を、より端的に表現するのが、人口構成の変化である。大きくみれば、「生産」を引退した高齢人口が、地方都市ではますます消費に勤しんでいる。所得の減少を招くという意味では、高齢化はたしかに消費の足を引っ張る。ただし高齢者がしばしば貯蓄の必要性から解放されることで、現役世代以上に消費にマネーや時間を費やしていることも見逃せない。たとえば贈答や趣味、自身の健康にかかわり、高齢者が高額な商品を買うことが注目されているのであり（西村晃『GS世代攻略術：「最後の富裕層」に買わせる！』PHP研究所、二〇一〇年）、その一例として、地方では医療福祉にかかわるサービスの拡大が著しいのである。

こうして地方都市では、「生産」が蒸発した代わりに、「消費」により比重を置いた社会がしだいに姿を現している。それが本当に望ましいものかは、さまざまな意見があるだろう。それは使える場所や人の選別をおこなうことに加え、これからみていくように、地方都市のこれまでの政治的なまとまりを脅かし、また既存の商店街の衰退や交通渋滞を招くなど、たしかに多くの負担を産み出しているのである。

ただし一方ではこうした地方都市の姿が、戦後日本が潜在的に望んできた「成果」としてあることも忘れてはならない。戦後日本は経済成長によって安価で購買可能な商品を増大させるとともに、賃金や預貯金を増やすことで、大量消費にもとづく暮らしを追求してきた。そうしてわたしたちが望んできた社会のひとつの先端として、あらたなライフスタイルを提示しつつあるのが、良くも悪くも現在の地方都市なのである。

Y市の場合

以上のように本書は、①地方都市の語りが相対的に少ないことに加え、②そこが今、「消費社会」の先端として現れつつあることを踏まえ、地方都市の生活を「考える」対象にしていく。もっとも重要なことは、消費社会の浸透が、そこでの暮らしを大きく変えていることである。地方都市では家族や労働、趣味のあり方が厳しい問い直しを受けているのであり、それを前提として、ではそこではいかなる住まいが買われ、どんな交通手段が利用され、仕事や買い物の仕方はどう変わったのかを、本書は具体的に知りたいのである。

ただし固有の「場所」をもたない議論は、空論にしばしば終わる。それは、さまざまな断片の都合の良い寄せ集めに終わる危険性が高いからだが、それを避けるために、本論は東北地方に位置するY市をおもな分析の舞台としていきたい。その場所が選ばれるのは、ひとつには筆者が現在その場に暮らしているという偶然の事情もあるが、それだけではない。「消費社会」の浸透した典型的な地方都市として、Y市はここでの分析に戦略的に役立つと考えられるためである。

あらかじめY市の特徴を簡単に挙げておけば、そこはもともと地方の城下町として産まれるとともに、近隣から商品を集め水運で運ぶ商業の一集積地として栄えてきた。さらに明治維新以後、Y県の県庁所在地になることで、県内の他の都市を追い越し経済的、政治的に発展する。そうしてY市は、中世末以来の繁栄の歴史をたしかにもっているのである。

ただし近年では、その停滞もあきらかになっている。戦後、近隣の村を合併することで、Y市は農業依存を強め、また製造業の誘致にも一定程度成功してきた。けれども農業は早くも一

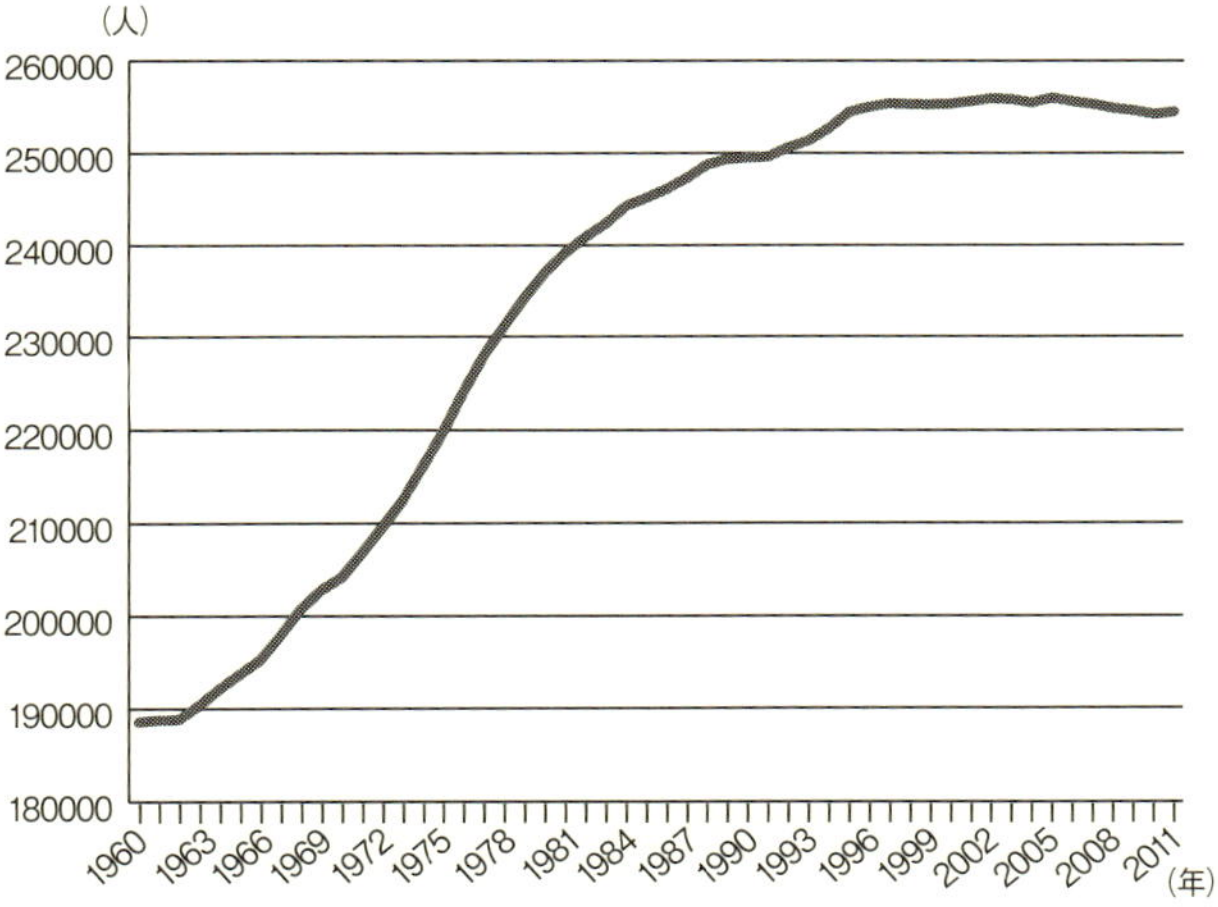

図2　Y市の人口：山形市統計書

九六〇年代に、工業は二〇〇〇年代に入ってから急速に力を失う。近年では第一次、第二次産業を総合しても、生産額ベースでは一割程度のものにまで影響力を減らしているのである。

その結果として、人口にも伸び悩みがみられる（図2）。六〇年代から七〇年代前半にかけY市は人口成長を続け、近いうちに三〇万人に達することも期待されていた。しかし八〇年代以降、人口は成長を止め、二〇〇〇年代後半には減少さえみせている。

そうした人口の伸び悩みのおもな原因になっているのが、若年人口の減少である。高齢者の比率の増加はそれを裏側からよく示すのであり、たとえば六五歳以上の人口比率を示すY市の高齢化率は、二〇一二年で二四・九％と日本の平均二四・一％を上回っている。

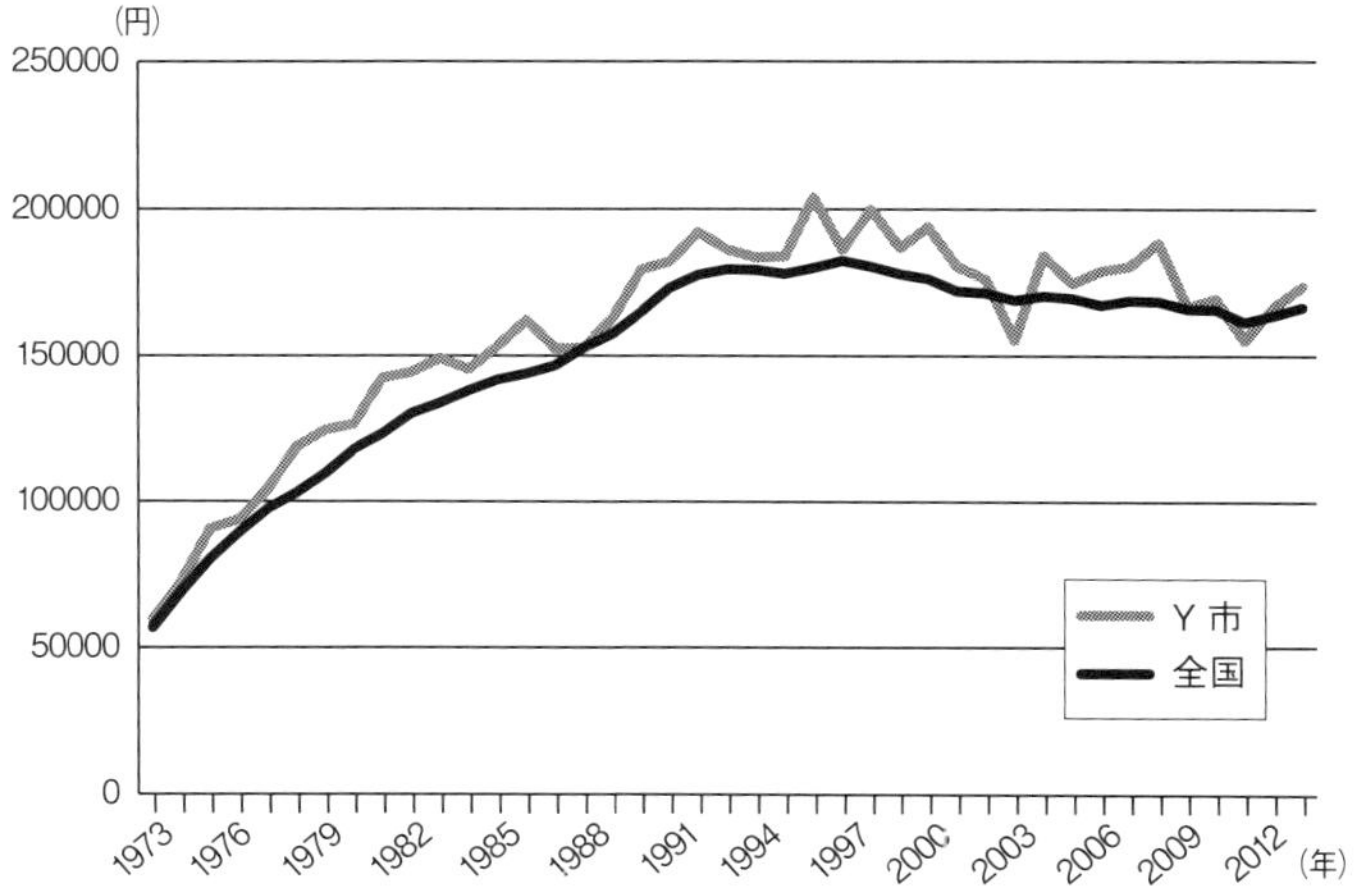

図３　１ヶ月平均消費支出（２人以上の世帯、等価所得基準）：家計調査

さらにその差は七五歳以上のいわゆる後期高齢者においては拡大し、その割合は、全国の一一・九％に対して、Ｙ市では一三・四％とより目立つものになっている。

以上のようにＹ市は近年、全国水準と比べても、産業の衰退や高齢化に苦しんできた。自治体としてはそれが大きな問題になるが、とはいえそれで人びとの生活そのものが途端に苦しくなっているかといえば、そうとはいえない。たとえば**図３**は先と同様に一か月あたりの平均支出を示したものである。ここでは長期的な傾向をみるために統計の残る二人以上の世帯に絞るとともに、世帯人員の影響を除外するために等価所得基準――世帯人員が多ければ家賃や光熱費等を節約できるため、その影響を除去するために平均所得を世帯人員数の平方根で割ったもの――で示しているが、それをみると少なくとも平均以上の消費がY市で続けられてきたことが分かる。後に詳しくみるが、その内容を個別にみても、たとえばY市では、自動車等維持費や通信費、交際費が全国的にも高いなど（二〇一四年度の二人以上の世帯における等価所得ベースの支出で都道府県庁所在地のうち、それぞれ三位、三位、九位）、とくに交際や交通のために、多くが支出されているのである。

この意味でY市を、①たんに産業の衰退や人口停滞においてだけでなく、②消費にかかわる「豊かさ」においても、地方都市のひとつの典型例とみることができる。Y市でそうして消費がさかんなのは、ひとつにはその市がたんに大都市に対しての「地方」に留まるわけではなく、地域のなかで相対的な中心としての「都市」としていまだ保たれているためである。Y市の周囲には大小の市町村が連なり、合わせれば五〇万規模に達する経済圏がつくられている。そのなかで県庁所在地としてのY市には行政機関や企業、学校、病院、また映画館やショッピングモールが集まり、他地域から多くの通学者や通勤者を引き寄せることで、情報や教育、また日常的な商品の活発な消費が生じている。それを一例に、地方都市を、たんに中央都市に富や人材を奪われる「被害者」としてだけ考えてはならない。それは他の地域、またさらには中央から人や金を集める「加害者」としてもあり、それが地方都市に活発な消費を少なくとも部分的には可能にしている。

以上のように「消費社会」と深くかかわる現在の地方都市の特徴を、Y市はよく示す。もちろんY市をみれば、地方都市のすべてが分かるわけではない。Y市にはないものも多数あり、そのひとつにたとえば米軍基地がある。自衛隊の基地が近隣市にある以外に、Y市付近には米軍基地は存在しないが、それが戦後日本の秩序形成に大きな役割をはたしてきたことに異論はないだろう。または原発。震災以後、Y県は原発のない地域としてアピールしているが、それは、戦後日本社会を支えたエネルギー開発の展開に、供給者としても需要者としても、この地域が取り残されてきたことをある意味で示している。それらをY市にないからといって無視することは、「消費社会」があたかも国内外の政治経済的状況と無関係に、自生的に発達してきたと誤解することに陥りかねないのである。

ただしそれらを戒めとしながらも、ここではあえてY市の現実から出発したい。そもそも地方都市は多様であるという意味で、そこで積み重ねられる暮らしのすべてを記述することはできない。本書があきらかにしたいのも、その意味では個々の地方都市の個性的な姿ではない。むしろあくまでY市を考える糸口としつつ、そこから想像力を膨らませることで、複数の地方都市を「消費社会化」していく力のありようを浮き彫りにすることが、本書の目標になる。現在、「消費社会」の浸透は、地方都市におけるわたしたちの生活を大きく変えている。昨日までとは異なる家族や働き方、趣味や嗜好を生きることをそれは促すのだが、ではその結果として、いかなる困難と幸福が実現されているのかを、本書は知りたいのである。

Y市を匿名のままに論じるのも、そのためである。隠すまでもなく、Y市がどこであるのかは、多くの読者には分かるだろう。しかし本書は、そのY市の固有の特徴をあきらかにしたいのではない。そもそもY市にかぎらず、ある地方都市を特殊なものとして捉えることは、行政や住民がそう信じたいと思ってつくりだす神話や宣伝をなぞることに往々にして終わってしまう。そうした不毛な自己満足から一歩抜け出すために、「地方都市」をできるだけ実体化しないことが重要になる。「地方都市」をすでに力を失いつつある行政的単位や歴史的まとまりとして考えるのではなく、むしろ現代日本のある集団が消費社会のなかで特有の家族関係や働き方、趣味や嗜好を生きる際にくぐり抜けるひとつの経験の形式として考えること。そのための戒めとして、ここではあえてY市という抽象的な呼称を使っていきたいのである。

第1章　地方都市に住まう。

1　戦争と破壊

都市と破壊

Y市は、災害から守られてきたとしばしば語られる。市の東部を横切る奥羽山脈によって、自然災害や戦災、放射能や無意味な開発競争から長年遠ざけられてきたというのである。

それはもちろん気軽な軽口にすぎないが、しかし近代東京の経験と較べれば、そこにも一片の真実が含まれているようにみえる。東京の歴史は、度重なる破壊の歴史としてあった。戊辰戦争、関東大震災、東京大空襲、そしてバブルによる地上げや再開発と、東京はその都市構造を根本的に揺るがす自然的、政治的、経済的な災厄に度々襲われてきたのである。

その意味で、人口や経済力、権力の集中が、都市にとって本当に幸せなことなのかどうかは、もう一度、立ち止まって考えてみる必要がある。権力や人口、また富の集中はその都市をたしかに発展させるが、だからこそ戦争においてはそれが都市を戦略的な暴力の目的地へと変えてしまう。また人口の集中は、自然災害の被害を拡大し、さらに富の集中は地上げや再開発によって昔から営まれてきた暮らしの継続をしばしばもっとも根本的に破壊してきた。それらの悲惨な例となるのが、近代東京のくりかえしの破壊の歴史なのである。

取り残された地方都市

その東京と比較すれば、Y市の歴史はたしかに微温的だったようにみえる。県庁の置かれた都市として、Y市は近隣市町村からみれば、それなりの権力や富、人口を集め、それが破壊を招き寄せもしてきた。たとえば一八九七年と一九一一年には街を大火が襲い、人口の集中する市街地に大きな被害を引き起こした。それを受け、道路拡張がおこなわれ、また花街がつくられるなどの変化もみられた。しかしそれで根本的に街の構造が変えられたわけではない。そもそも一〇〇年以上前の火事が、いまだに都市の典型的な災厄としてしばしば語られていることが、それによって街のアイデンティティがまったく変えられたわけではないことを、逆説的にも示すのである。

また第二次世界大戦の破壊からも、Y市は守られた。戦争の末期、数多くの地方都市を空襲は襲い、建造物やさらには文化的伝統を消失させる。それはY市が属す東北の他市でも同じであるが、しかしY市はすんでのところで空襲を免れる。戦争末期にはほぼ空になっていた歩兵第三二連隊の駐屯地であったことを除けば、軍事基地や工場が少なかったことが幸いして、戦略爆撃の優先的な目的地からは外されたのである。

最後に現代の都市の姿を大きく変えたバブルの猛威も、多くの地方都市と同じく、Y市を足早に通り過ぎただけだった。大都市では高度成長以来の都市改造の動きが、八〇年代のバブルにおいて頂点に達する。その波は地方都市にも及んだが、しかしその到達のスピードは遅かっ

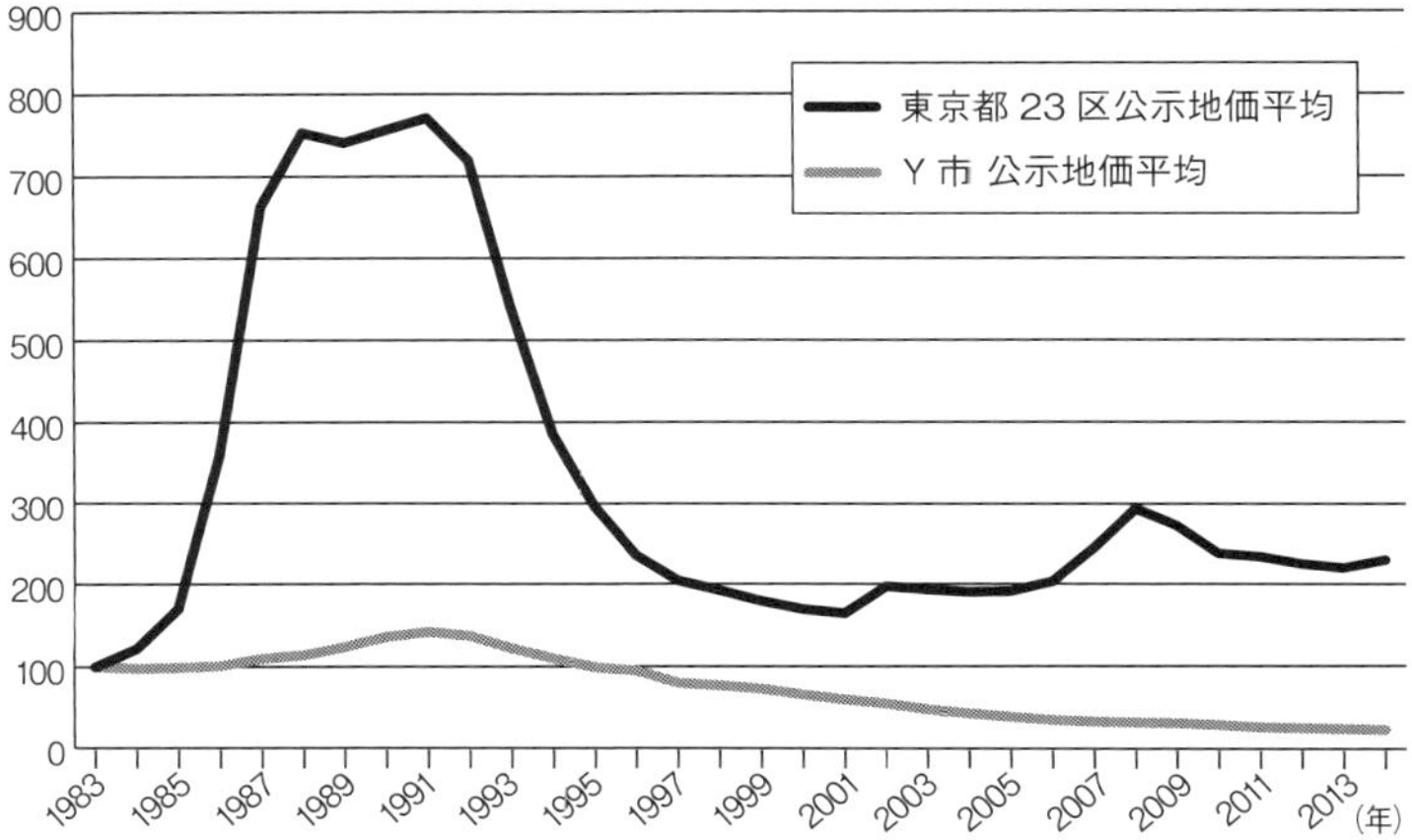

図4　Y市と東京23区の公示地価平均（1983年を100として基準としたもの）:「土地価格相場が分かる土地代データ」（http://www.tochidai.info/）より作成

た上に、さらに退潮は早かった。実際、図4からは、東京二三区と較べY市ではバブル期の地価上昇が遅く、また上昇も乏しかったことが読み取れる。東京二三区では一九八三年と比べると一九九一年では公示地価平均が七・七倍に膨れ上がっているのに対し、Y市では最高一・四倍に留まっている。にもかかわらずその後の地価の下落はY市のほうが激しかったのであり、東京二三区では現在すでに一九八三年の三倍近くにまで上昇しているのに対して、Y市ではなお回復の兆しはみえず、今でさえバブル以前の六分の一の水準に留まっているのである。

こうしたバブルからの取り残しは、経済的な停滞を地方都市にもたらしたが、その反面、旧来の都市構造を保存することにもつながった。たとえばY市には、近世以来の武家屋敷や蔵などの建造物が数多くいまだ立ち並び、城下町そのままの街路構造が残されている。バブルもたしかに、再開発事業を前提に駅前に建てられた二四階建ての官民複合型ビルや、中規模の音楽ホール――それはすでに独立行政法人雇用・能力開発機構からY市に安価で売却されている――のような流行にかなった建物を、街に置いていった。しかしそれはあくまでバブルの「残り香」にすぎず、それらを例外として、Y市には近世以来の都市構造が基本的には維持されてきたのである。

2　空き家問題

住戸という商品

このY市をひとつの典型として、日本の地方都市は近代の戦争や経済発展に伴う大変動のなかでも比較的その姿を保ってきた。しかし問題はそれが現在、大きく揺らいでいることである。そうした変化の源泉になっているのが、「消費社会」の浸透である。「生産」の退転や高齢化の拡大などさまざまな要素が絡まりつつ、地方都市には消費を中心とした暮らしがますます根を張っており、それがこれまでの都市の集団生活や空間構造を変えるあらたなライフスタイルや感性を拡大しているのである。

それをよく示す現象として、ここでは住まいの商品化という現象を取りあげたい。たしかに一方で住居は、地方都市の変わらない暮らしの安定を支える基盤になってきた。住まいは、以前からの生活を伝承し、さらにそれを後の世代に伝えることで、地方都市の秩序を支える社会的な拠点になってきたのである。

しかしその一方で近年、住戸はますます産業的につくられた商品となることに並行して、都市生活を変えるモードの発信地になっている。マンションにしろ一戸建てにしろ、家は生涯で最高といわれるほどに高い買い物だが、その家を戦後社会はさかんに「消費」することを促してきた。ステータスや自分の感性を表現する商品として住戸は注目されていくのだが、その結果として、購買された住戸は都市に変化をもたらす物理的かつ社会的な尖兵になっている。持ち家を買うために人びとは終身雇用や年功序列を前提としたあらたな働き方や、核家族を中心とした家族形態を強いられていく。そうしてあたらしいライススタイルや嗜好を身につけた人びとが、旧来の街なかや、またこれまで家のなかった区画に色とりどりの家を構え住み着いていくのであり、その結果、地域の秩序や習慣にあらたなやり方をもち込む。住戸の消費をきっかけとして、こうして地方都市の暮らしは、ときに軋轢をはらみながら大きく揺さぶられてきたのである。

さらに住戸が他の多くの商品と異なり、中古市場が整備された商品であることも注目される。住居は多くの場合、購買によって商品であることを止めず、世代を超えても使用可能な耐久性をもつことで、最後にそれをどう売却、または処分するかを真剣に考慮することを所有者に求める。その判断が、個人の年収に匹敵するまでのちがいを産むこともしばしばなのであり、そうして購買するにしろ、売却するにしろ、貸すにしろ、住戸は消費社会の真剣なゲームのなかに人びとを巻き込む最大の媒介として働いてきた。

空き家の増加

地方都市を揺るがすこうした商品としての住宅にかかわる現象のなかでも、近年、とくに注目されているのが、「空き家」の増大という問題である。しばしば指摘されているように現在、空き家の増加が目立っており、全国でみれば二〇一三年時点で、八二〇万戸、総戸数の一三・五%で空き家があるといわれる。その総戸数に対する割合は年々上昇しており、近い将来には住宅の三割を越える空き家が発生するとさえ推定されている（牧野知弘『空き家問題：1000万戸の衝撃』祥伝社、二〇一四年）。

あまり語られないが、問題はこうした空き家が、地方都市でとくに深刻ということである。空き家すべてでみれば、あまり人のいない郡部での発生がたしかに多い――二〇一三年の全国、市部でそれぞれ一三・五%、一三・四%であるのに対して、郡部では一四・二%――が、しかしそれは景勝地の別荘などが含まれるからである。より厳密に一時滞在用の別荘や別宅を除いた空き家を調べる（図5）と、過疎地帯としての郡部や、過密地帯としての東京と較べ、市部での空き家率がもっとも高いことが分かる。この市部には、東京二三区を代表とした大都市も

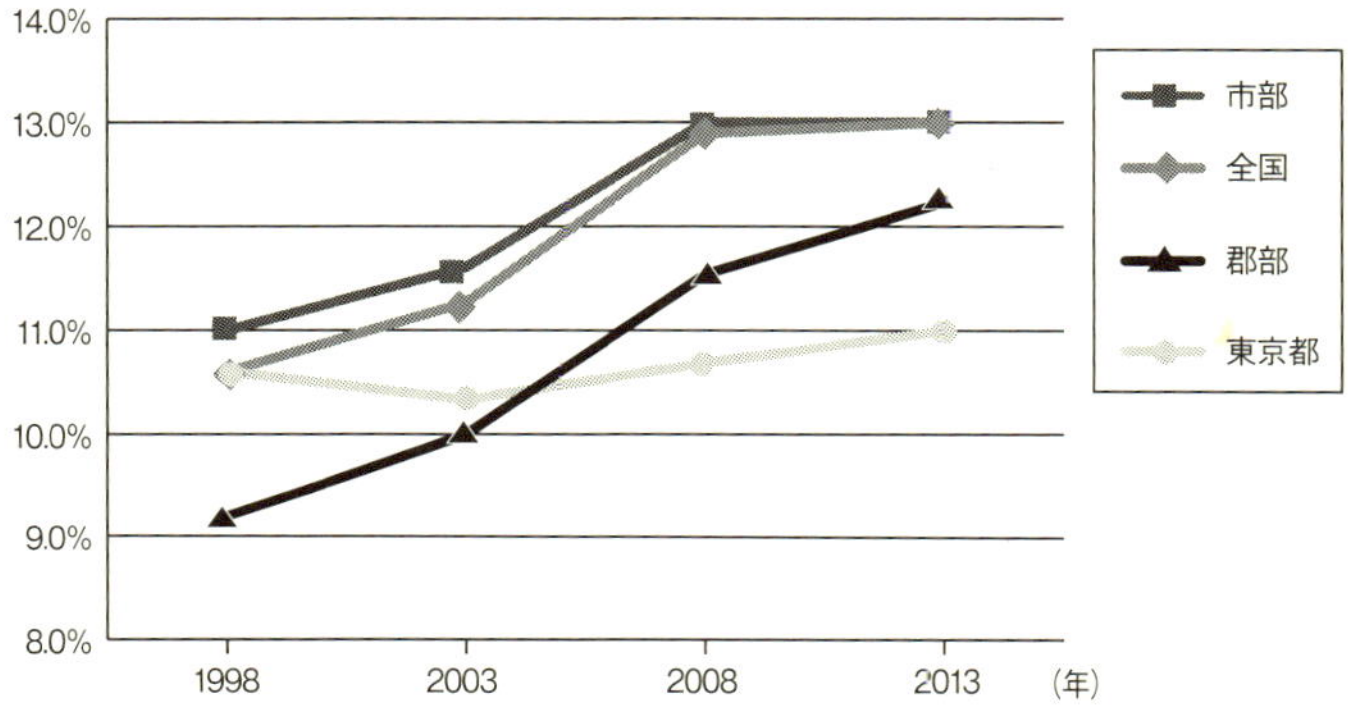

図５　空き家率（二次的住宅を除く）：住宅・都市統計調査

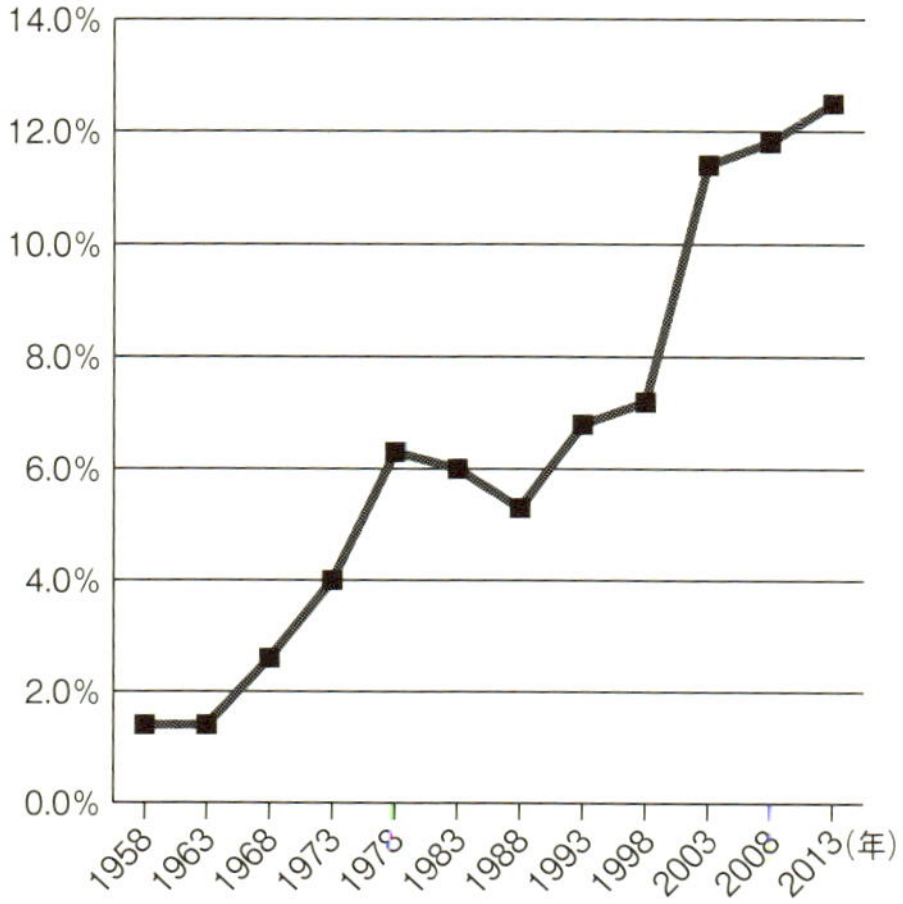

図６　Ｙ市の空き家率（二次的住宅を含む）：山形市統計書

含まれるが、しかし空き家率を押し上げているのは、とくに地方都市であると考えられる。グラフには示していないが、たとえば二〇一三年でみると関東、中京、近畿の三大都市圏の空き家率総数が一一・九％と全体より低いのに対して、それを除いた市部では空き家率は一四・三％とかなり高くなっているのである。

そのことを、より具体的にY市の状況から確認しておこう。Y市の空き家率――ただしここでは長期的な統計をみるため二次的住宅を含めた――は、一九九〇年代末以降とくに著しい上昇を示し、二〇一三年現在では一二・五％という数字を記録している（図6）。この数字は、東京区部（一一・二％）や隣接する大規模都市S市（一〇・〇％）と較べて大きいだけではなく、周囲のより小規模な町村に比べはるかに高いことで特徴的である。周辺の郡部では空き家率は七・〇％とY市に比べ、半分に近くに留まっているのである。

ではどうして大都市や郡部ではなく、地方都市で空き家が目立つのだろうか。まずその原因として、地方都市の経済的衰退が考えられる。そもそも空き家は、商品としての家に借り手や買い手がなかなか現れないために、しばしば産まれる。たとえば首都圏や大阪を対象におこなわれた調査だが、東京都心部、大阪、遠隔地のいずれでも空き家が生まれる第一の原因は、「賃貸人等の入居者が退去した」ことが過半数を超えており、また売却先や入居者が決まらない理由でも、「市況が悪いため」という答えが上位に挙がる（「平成二一年度空家実態調査」）。こうした状況は、地方都市でも変わらない。とくに九〇年代後半以降の不況と人口減少が重なることで、地方都市では大都市以上に経済的な衰退が目立った。それによって借り手や買い手が減少することによって、空き家率が上昇したと考えられるのである。

こうした事態に対して、対策が立てられていないわけではない。空き家解消を狙って、二〇一六年度には固定資産税の変更が計画されている。現在の税制では、住戸の敷地として土地をもつ場合、固定資産税が六分の一に減免される（二〇〇㎡以下の場合）という優遇があり、それゆえ売れない住居を、空き家のまま保持している人が多いといわれる。そうした優遇的な税制をなくすことで、家をより素早く市場にだし、賃貸、または売却市場を活性化することが目論まれているのである。

ただしそれによって空き家が、すぐに減少するとも考えにくい。問題は、固定資産税の仕組みが変わったからといって、あらたな買い手や借り手が急に現れるとはいえないことである。多数の空き家が放出されることで、いずれ価格が下がり、需給の一致がみられると考える者もいるかもしれないが、それほど話は単純ではない。そもそもY市のグラフに示されているように、短期的な経済的な浮動を越えて、空き家は長期的に増大してきた。高度成長期の好景気のなかでさえ、空き家は増加してきたのであり、そうした市場の限界を超え、貸すことも、借りられることもむずかしい住居を長期的に増加させてきたメカニズムについて考えることが、むしろ重要になる。

それをあきらかにする上で大切になるのが、迂遠にみえるかもしれないが、戦後から現在まで続く家族にかかわるあらたなライフスタイルの成長である。よく知られているように、戦後の家族は、住む場所を移動させることと深くむすびつき、今あるかたちに変わってきた。高度成長期以来、都市へと向かう若年層を中心とした人びとの「向都離村」の運動が目立ち始める。たとえば高度成長期には東京、名古屋、大阪圏へ最大一六〇万人の人口が一年間に地方から流れ込んでおり、この人びとが移動先であらたに核家族をつくることで、それまで故郷の地に営まれてきた「家」とは精神的、また物質的に切り離された小家族が数多く産み落とされてきたのである。

村から都市へと向かう人びとの流れが、もちろんそれまでみられなかったわけではない。しかし戦前に都市に向かった人びとは、あくまで故郷の家と精神的、また経済的なつながりを保つ場合が多かった。だからこそ村の家の後継ぎが死亡した場合や、また都会が不況になった場合に、地方へと人口が逆流することも珍しくなかった。そうした事態は、西川祐子が戦前の文学作品を用いあきらかにしたように、都会ではしばしば借家というかたちをとり暮らす家族が多かったことにひとつに示されている（西川祐子『借家と持ち家の文学史』三省堂、一九九八年）。たんに貧しかったからだけではなく、故郷に錦を飾る可能性を捨てられなかったからこそ、一戸建てを買うことを多くの人びとが躊躇したのであり、実際、戦前の借家率は東京で七割、大阪で九割以上だったという調査結果も残されている（角野幸博『郊外の20世紀：テーマを追い求めた住宅地』学芸出版社、二〇〇〇年）。

それに対して、高度成長期には大都市で産業が成長し、終身雇用制や年功序列制をとる企業が増加することに牽引され、村の家に帰ることを断念し、都市を第二の故郷とする人びとが増大していく。そうして都市を終の棲家として住み始める人びとによって持ち家が買うことが一般化されていくのだが、とはいえ初めから、一戸建て住宅に多くの人が住めたわけではない。有名な「住宅すごろく」によく表現されているように、寮や木賃宿での一人暮らしを出発点として、アパートや公団住宅を経由し金を貯めつつ、住み替えをおこなって、最後には庭付き一戸建ての「マイホーム」を買い暮らすことが、人びとの理想とされたのである。

この意味で戦後の都市家族は、①地方からの移動と、②さらに一戸建てを求める都市内での移動によって、二重にその性格を規定されてきた。戦後家族は「終の棲家」を手に入れるまで移動を積み重ねることを前提に暮らしていくのであり、その結果、村の家や地域社会と切り離されたあらたなライフスタイルを成熟させてきたのである。

だが皮肉なことにこうした都市家族の成長こそが、現在の空き家の増大を引き起こす大きな力になっている。第一に、それが地方の世帯の縮小を招き、結果として空き家になる危険性の高い住戸を増加させているためである。戦後、家族の小規模化が進むが、それは大都市に移動した人びとが核家族を営むことだけによって引き起こされたわけではない。子どもたちを都市に出した地方の家族も、仕方なく世帯規模を縮小させていくのであり、そのなかで次の世代に手渡されることなく、空き家化する家も増加する。実際、県全体としてみれば三世代同居が全国で一番多いY県にあるY市でも、世帯割合でみれば単独世帯が三〇・七%、また夫婦のみの世帯が一八・三%を占めており、合わせてほぼ半分と他の世帯を圧倒している（二〇一〇年）。それを一例として、地方部には子ども・孫世代が都会に出た上に、未婚化や少子化が重なることで、誰も継ぐ者がいない家が増加しているのである。

第二に問題となるのが、移動先の都市につくられた住居さえ、今では住む人を欠いた空き家に往々にして変貌していることである。すでに高度成長期のさなかに、見田宗介は家郷の代わりにあらたな定着の場を都会に求める動きがみられたことを指摘していた（見田宗介「新しい望郷の歌」『見田宗介著作集第Ⅵ巻』、岩波書店、二〇一一年）。故郷の古い家の代わりに、「未来」にひらかれた自分のマイホームを築くことを求め、多くの人びとが都会に流れ込んだというのだが、皮肉なことに、その結果として家族の「未来」はむしろ縮小されてしまった。マイホームは自分もあらたなをつくろうと家を出ていく子どもたちを産みだしていくのであり、その選択を親が止めることもむずかしかった。故郷の親を「捨て」て出京したという過去を親はもっているからであり、そうして親が家を出る子どもたちを仕方なく見送る結果、継ぐ者のいない家がとくに都市の近郊に年々増加している。

以上の意味で、高度成長期以降形成されてきた家族の理想こそが、今では現代の空き家の増加を促す大きな原因になっている。自分と子どもたちだけで気ままに暮らすマイホームを目指した人びとの移動は、地方の「家」を脆弱にしただけではない。同時に都会には自分の死後に継ぐ者がいない住居を林立させるのであり、そうした現象に拍車をかけたのが、「持ち家」の購買である。みずからが所有する家は、通常、気心の知れた核家族的家族だけで自由に暮らすという目標をもち建てられる。だからこそ「持ち家」には、成熟した大人たちを一夫婦以外に住まわせる余地は、空間的、または間取り的にしばしば含まれていなかった。それゆえ「持ち家」の一般化は祖父母の同居をむずかしくするとともに、成長した子どもに出ていくことを促す。そうした共同居住のタブーを前提として戦後の住居は、ある世代が「自立」するとともに建てられ、その終焉とともに意味を失う「消費物」に変わるのであり、しかし使用主を失ったとしても、家はしばしば物理的に残されることで、それが最終的には空き家になるのである。

地方都市で空き家が数多く発生しているのも、ひとつにはそのためである。地方都市は人びとを大都市へと送りだしてきただけではない。逆に地方都市はその周囲の郡部から大量の人びとを引き寄せることで発展してきたのだが、その二面性が空き家の増加を現在、両面から加速している。地方都市には、祖父母だけが暮らす「実家」だけではなく、核家族が暮らす「マイホーム」も堆積する。その両者が今では空き家化の危機を迎えていることで、地方都市の空き家率は高くなっているのである。

こうして地方都市の空き家問題の根幹には、みずからひとつの家を所有するとともに、核家族の構成員以外の者とともに暮らすことをタブー化した戦後家族の「理想」がみえてくる。そうした家族の理想が皮肉なことに空き家を増やしているのだが、しかしそのことは、ここ最近、危惧され始めたわけではない。たとえば一九八〇年代なかばにすでに鳴海邦碩（『アーバン・クライマクス：現象としての生活空間学』筑摩書房、一九八七年）は、大阪郊外の千里ニュータウンに「空き室」をもった家が数多く増えていることを指摘していた。こうした家を、鳴海は「架空家族を待つ家」と呼ぶが、子どもが巣立ち、また配偶者が単身赴任することでできた「空き室」を、共同居住のタブーをもつ戦後の核家族は埋めることができなかった。その意味でそうした「空き室」が、いずれ家全体に及ぶことで「空き家」となることは、すでにその時点で自明だったといえる。

にもかかわらずそれを止めることは、誰にもできなかった。気の知れた人びとで気ままに暮らすために親や親類、兄弟を切り捨てるという行動を戦後家族はくりかえしていくのであり、それを乗り越えるあらたな理想は、集団的にはいまだみいだされていない。なるほど未婚率が上昇するなかで、結婚することなく家に留まる人びと（世帯内単身者）の割合が今では増加している（平山洋介『都市の条件：住まい、人生、社会持続』NTT出版、二〇一一年）。それは結婚して独立するという戦後家族の理想をなし崩しに壊すものだが、とはいえそれはあらたな「共住」の理想を産みだすものとはいえず、まただからこそ積極的に空き家問題を解決しない。家を継ぐ他者と暮らすあらたな可能性をひらかないという意味では、「非婚化」は空き家の発生をせいぜい遅らせるものでしかないためである。

住宅の感覚水準

現代の空き家の多くは、戦後の時代に席巻したこうした家族の「理想」と深くむすびつき発生している。だからこそ政策的にはなかなか解決しがたい。しかし見方を変えれば、実はそうして産まれる「空き家」が、すぐに問題になるわけではない。たとえば地方都市や郊外に親が残した利用可能な家があることに、かならずしも悪いこととはいえない。週末や長期休暇時にそれを利用すればよいのであり、その意味ではきちんと管理することができれば、「空き家」の増大はより豊かな暮らしにつながるとさえいえるのである。

にもかかわらず空き家が問題になるのは、ひとつにわたしたちの多忙すぎるライフスタイルのせいといえよう。都会で企業に勤め働く多くの人びとは、余分の家を利用し、または管理するだけの時間や金をもっておらず、だからこそ放置された危険な空き家も産まれる。その意味で空き家問題とは、家を利用し管理する余裕がないわたしたちの働き方や暮らし方の「貧困」をそのまま表現しているのである。

加えてそれは、老朽化した住宅をあえて利用しようとしないわたしたちの感性の問題でもある。一時滞在の場合のみならず、住み替えの場合にも、わたしたちは比較的新規に建てられた住居を好み、あえて空き家を維持し利用しようとしないのではないか。その結果、使われないまま空き家が残されていくのであり、逆に比較的あたらしい貸家の家賃は高止まりする。この意味では空き家問題はよくいわれるように、経済衰退や家族の縮小、または人口減少といったマクロな構造だけに還元されない。居住や一時滞在のために、最新の住居を好んで「消費」するわたしたちの感性の「貧しさ」も、そこに問題として含まれているのである。

空き家を産みだすこうしたわたしたちの「居住感覚」の現在について考えるとき、それを支える社会的根拠として見逃せないのが、新築住宅を続々とつくり続けてきた戦後日本のシステムである。第二次世界大戦後、住宅難が顕在化するなかで新築住宅の着工数は増加し、一九七三年には一九〇万戸を超える住宅が建設される。その後、数は減るとはいえ、住宅が充分に行き渡った今でさえ、一〇〇万戸近くの住宅が毎年全国で供給され続けているのである。

こうして住宅着工が続けられているのは、ひとつに住宅が戦後日本の政治経済的システムに深く組み込まれてきたからである。一九五〇年に公布された住宅金融公庫法をきっかけに、景気浮揚や雇用のために新築住宅の製造や取得を優遇する社会的、政治的システムが整えられる。さらに企業も従業員が持ち家を建てていくことを援助していくのであり、それを踏まえ多くの資金が流れ込むことで、住宅産業は肥大化していった。

結果、住宅は住宅が暮らす人のステータスを表示する商品にもなった。地域のつながりが相対的に弱められるなかで、住宅は多くの人の買うもっとも高い商品として、住人の資産や信用、感性をリアルに表現する切実な記号になる。だからこそマイホームを取得することが、戦後社会ではまとまった原資をもたない人びとにまで必要とされた。終身雇用の企業で辛い人間関係に耐えつつ、生命保険を担保としてローンを組み、時代や地域性にあった「きちん」とした家を買うことで、家族は地域に責任をもつまっとうな市民として初めて認められたためである。

以上のような人びとの消費活動こそ、現在の空き家の増加を促す見逃せない底流になっている。ひとつには当然、新築の住宅の建設が余分の住宅を増やすことで、住民のいない家を物理的に産むためだが、さらに大切になるのが、新規住宅の供給が既存の住宅を「陳腐化」するという社会的なメカニズムである。デザインや素材感のみならず、その多様な設備においても、既存の家は新築の家は太刀打ちしがたい。新築住宅で進められるモデルチェンジは、快適な温度、防犯性、バリアフリー、耐震性、耐火性など、これまで住居にとくに必要とされなかった要素を欠かせないものであるかのようにみせていくためである。そうして住まいに求められる「快適性」の水準が引き上げられる結果として、逆に使われない住戸も増加する。

この意味で住宅の産業化とそれを踏まえたさかんな消費こそ、空き家を増加させる構造的な土台となるのだが、ちなみにいえば、日本で持ち家信仰が弱まらないのも、同様の事情にもとづいていると考えられる。既存の住宅ストックを前提とした賃貸では、なかなか自分の好みとモードに従った物件をみつけがたい。だからこそ多くの人びとは、たとえ長期に渡る企業への従属を代償としたとしても、「最新」の暮らしが実現可能な新築の家を望むのである。

こうした事態を前提にすれば、空き家問題がとくに地方都市を中心に深刻化している理由もより明確に説明できる。一言でいえば、地方都市では住宅の供給とモード的商品化が進んでいるからこそ、空き家の増大も目立つのであり、たとえば郡部で空き家率が低いのは、そこにそもそも新築の住戸があまり建てられていないためである。郡部ではあえてあたらしい家がつくられず古い家がしばしばそのまま使われることが多いが、それが物理的にのみならず感覚的にも空き家の発生を抑えるのである。

それに比べれば、地方都市では、新築の住宅が集中してつくられている。たとえばY県でも二〇一四年現在の住宅着工の内、二七%がY市で建てられ、さらにそれを含めた市部に新築の八六%が集中している（新設住宅着工統計）。そうした新築住宅の供給は物理的に不要な住戸を増すだけではなく、既存住宅の感覚的な「陳腐化」を進めることで、選択されない「空き家」を地方都市に増大させているのである。

もちろん新築の家だけみれば、大都市での着工が多いことはいうまでもない。ただし大都市では逆に需要の多さが、住宅の自由な選択をしばしばむずかしいものにしている。家賃や土地の高さから大都市では多くの人びとが、持ち家を諦め、老朽化し陳腐化された家でもしばしば受け入れ暮らしているのだが、それに対して地方都市では、地価や家賃が低いおかげで、快適な住宅をみずから買い建てることがより容易になっている。同じ金額を出せば、はるかに快適な住宅を地方都市では選択できるのであり、そうした自由な住宅の購買が、皮肉なことにモードを外れた家を空き家へと変える大きな原因になっているのである。

以上のように、地方都市では、郡部や大都市以上に最新の住居を手軽に選んで買えることが、多くの空き家が産まれる構造的な土台になっており、だからこそ地方都市での空き家の増加は、解消しがたい。住戸に対する消費者の自由がますます大きくなるというそれ自体は望ましい現象を原因として、空き家は地方都市でしばしば産まれているためである。

そのことは近年、空き家が目立つとしばしば指摘されるもうひとつの場所、郊外と対比させるとよくわかる。本章ではあまり注目してこなかったが、近年、大都市の郊外で空き家化が目立つとしばしばいわれる。郊外にはかつて戦後家族が大量に移住し、新築の住宅を多数つくったが、第二次ベビーブーマーを中心とする人口の都心回帰が進むなかで空き家化が進み、放棄された区画やマンションさえ産まれているのである（三浦展『東京は郊外から消えていく！：首都圏高齢化・未婚化・空き家地図』光文社、二〇一二年）。

しかしそこでの「救い」は、空き家化が、戦後の住宅の「大量生産」を主な原因としており、だからこそ一気に、また面的に起こっていることである。資産価値の低下は当事者にとっては大問題であり、またそこに残る人びとの福祉や生活の安全をどう守るかは真剣に考える必要がある。しかし厳しい見方をすれば、ここでの最重要な課題は、かつて人口移動の増加とともに緊急的につくられた大量の住宅を、どう次には「スムーズ」に放棄していくかに尽きるともいえる。短期のあいだに大量に「生産」され、しかしその後、なかば一律に用途を失った住宅を集める場として、多くの郊外はかならずしも都市全体に永久を及ぼすことなく消えることを、ある意味ではあらかじめ運命づけられてきたとさえいえるのである。

それに対して地方都市での問題は、空き家化が、個々の人の自由な「消費」を原因とし、それゆえより整序しがたい現象として発生していることである。Y市もそうだが地方都市では、自由な住宅の選択の結果として、街なかでさえしばしば歯欠けのように空き家が目立ち始めている。この「死んだ土地（dead space）」は近隣でいまだなんとか続けられている商業活動や、生産、防犯活動にマイナスの影響を及ぼすが、それに対処することは容易ではない。そうした空き家は、地方都市で現在、より快適な住居がつくられ消費されていることの結果としてあるという意味で、その出現を断ちがたいのであり、さらにそうして街なかにさえ散らばる土地をとりまとめ、再開発を推し進めるデベロッパーも、経済的な沈滞に苦しむ地方都市では、めったに現れないからである。

3 都市の感覚水準——高層マンション

都市の噂

こうして地方都市では、快適な住戸を選ぶという消費者の自由が成熟していくことの皮肉な結果として、空き家化が進んでいる。家族が戦後社会のなかで住戸の消費者へと組み替えられていくなかで、街なかでさえ人びとの選択から取り残される住宅が増加しているのだが、同様に地方都市における住まいにかかわる消費活動の活性化をよく示す現象として、「高層マンション」の林立が注目される。

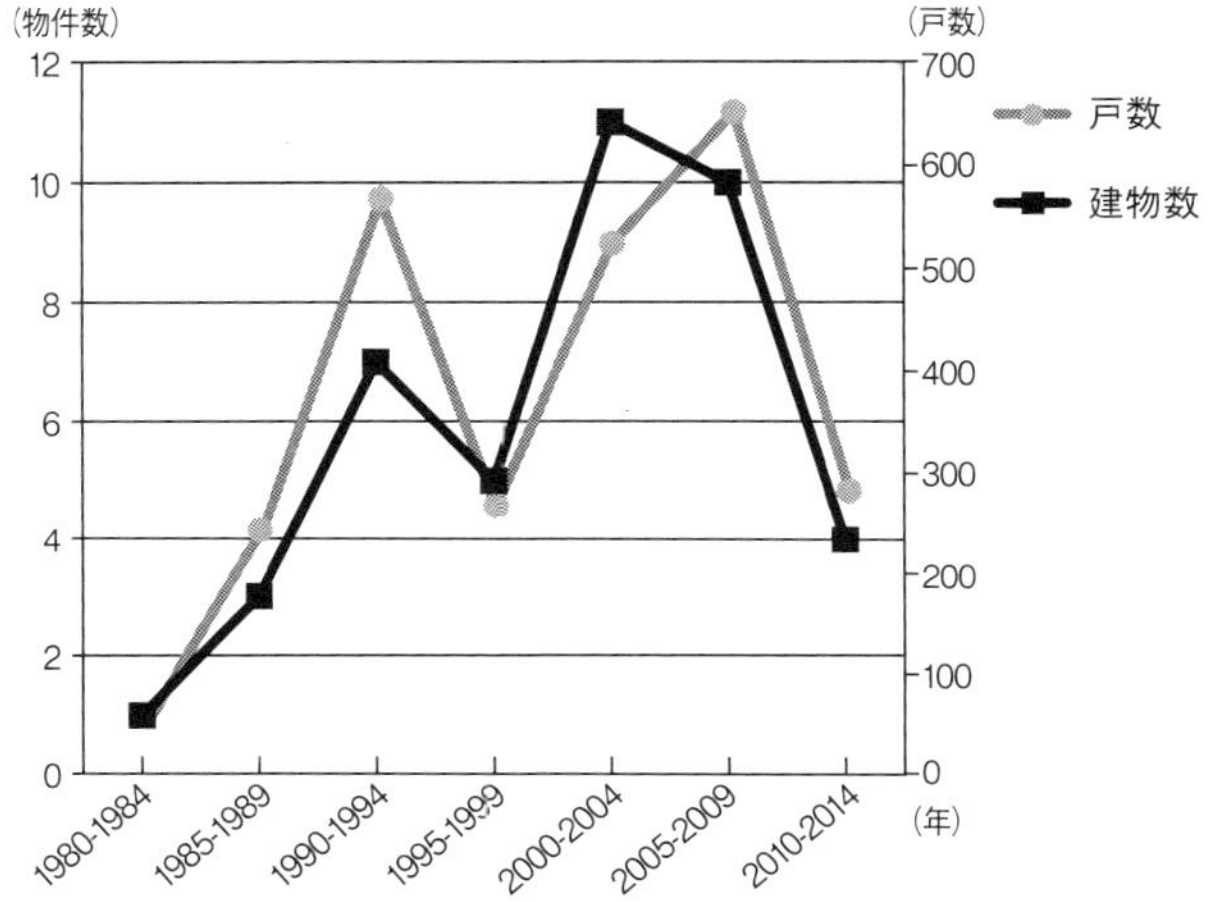

図7　Y市における10階以上のマンション建築数（現存物件ベース）：マンションナビ（http://t23m-navi.jp/）から調査し、また欠けているものを補った。

近年、地方都市でも高層マンションの建設が目立つのであり、たとえばY市でも、駅前やかつての繁華街に高層マンションが次々と建造されている。通常、二〇階を超えるものと定義される超高層マンションはさすがに少なく二棟を数えるのみだが、一〇階以上と定義される高層マンションまで範囲を広げると、**図7**のように二〇〇〇年代初頭まで——二〇一〇年以降規制のために中心部では高層マンションが建てがたくなった——、不況の波はかぶりながらも着実に増加しているのである。

以上のような高層マンションの増加は、一見これまでみてきた空き家化とは無縁の現象とみえるかもしれない。しかし両者は、ますます住居がモード的な商品となることのある意味では両極の表現としてあるともいえる。みてきたように「空き家」は住戸のモード的商品化が進み、結果として既存の住居が陳腐化されることを一因として、地方都市に増加していた。それとは逆に、住宅産業が提供する最新のモードに適合した住居として、「高層マンション」は好んで買われていくのである。

「空き家」と「高層マンション」のこうした逆説的な「近さ」は、たとえばそれにかかわる者の社会的な近似によってもよく表現されている。先に空き家が、戦後家族の「成熟」のなかでしばしば吐き出されるように産まれることを確認した。かつて祖父母たちを親が見捨てたように、今度は子どもたちが親を置いていくことで空き家はつくられるのだが、この子どもたちのあらたな住まいの有力な候補となっているのが、ひとつに中心部の高層住宅である。モードに適合する中心部の高層マンションが彼・彼女らに好まれ、その一方で郊外に残された家がモードを外れたものとして嫌われることで、人口の都心への逆流現象がみられるのである。

さらに移動するのは、若者だけではない。子が家を離れた後、運に恵まれた高齢者は、郊外に残された家を売り抜け、より中心部の高層マンションへと戻ってくる。そもそも高層マンションは、その維持管理が容易なことでも高齢者に人気なのであり、それはY市のマンションでも同じである。北国としては恵まれている方とはいえ、Y市の冬も厳しく家の維持も大変だが、だからこそ雪かきが不要で、暖房代が節約できる最新の設備をもった高層マンションが、しばしば高齢者に好まれているのである。

以上の意味で高層マンションは、かつての郊外の一戸建てを「上がり」としていた「住宅すごろく」にもう一つのゴールを付け加えたといえよう。かつて親たちは中心部に持ち家を持てずに、代わりに郊外に一戸建てを買った。そうした郊外の暮らしをもはやモードから外れたものとみなす若年層と、しばしばその郊外の一戸建てを売り資金を得た高齢者が、今では高層マンションに集まっている。その結果として、中心部の高層マンションでは、若いファミリーと高齢者という極端な層がしばしばおもな住人になっているのである。

郊外から都市に回帰する人口の流れを前提として、以上のように「空き家」と「高層マンション」は意外に近接しているが、さらに都市の空間構造からみても、両者には似た所が多い。たとえば空き家は時代遅れになりつつある街の一隅でしばしば産まれるが、それはある意味で高層マンションでも同じである。Y市の中心部に立つ二〇階建ての超高層タワーもそうだが、しばしば地方都市の高層マンションは、かつて栄えた商業地の跡地に建てられる。もはやデパートや娯楽施設として採算が見込めなくなった土地が、高層マンションに変えられるのであり、その意味では消費者に選別されなくなった施設が空き家として残るか、高層マンションに変わるかは、しばしば紙一重とさえいえる。

さらに物理的にも空き家と高層マンションは、都市の空間を一部の者にしか使えないものに囲い込むことでも似ている。空き家は、子供や犯罪者、または鳥や獣しか立ち入りできない場をつくりだすことで、街の人びとを悩ませる。それに対して高層マンションはたしかに多くの資産とステータスをもつ人びとによって買われるが、しかし一方でそれも街の真ん中に、特別の人しか入れない「孤立した場」をつくりだすことでは同じである。空き家同様、高層マンションは、かつて人びとの行き交った地方都市の繁華街を、一部の人びとにしか利用できない閉じた空間に変えるのである。

突飛にみえるかもしれないが、有名人が住むという噂が高層マンションにしばしば立てられるのも、ひとつにはそのためである。高層マンションでは上層階に有名人が住むことがときにしたり顔で語られる。たとえばY市の隣市であるK市の四一階建てのマンションは田園地帯に屹立することでネットの世界で有名だが、釣りのためにその最上階に有名人の夫婦が部屋を所有しているという噂がしばしば吹聴されているのである。

それが事実かどうかはわからないが、そうした噂が信憑されるのは、まず高層マンションが、多くの地元の人が立ち入りがたい特別の空間としてあるためといえよう。かつてのよく見知った繁華街の「死骸」の上に建てられた閉鎖された空間に向け、妬みのためか、失われた都市の賑やかさを償うためか、周囲の人びとはさまざまな憶測を寄せていく。

さらに重要になるのは、高層マンションが外部に対してだけではなく、内部においてさえ、十重二十重に閉じられた空間を実現していることである。上層へ高くそびえたつことで高層マンションは、ファミリー層と高齢者層を代表として、通常の街ではありえないほどの格差や多様性をもった人びとを、しばしばひとつの空間の内部に共住させる。だからこそ高層マンションには、内部の人の暮らしをできるだけ分けるさまざまな仕掛けがしばしば施されている。防犯カメラや防音性の高い壁や床、ときにはグレードの高い住戸が位置する上層への専用のエレベーターなど、飛行機のビジネスクラスシートとエコノミーの区別のように、内部の住人を周到に遠ざける装置が周到に準備されているのである。

だからこそ有名人が住んでいるというまことしやかな噂も、信憑される。たとえ目撃されたことがないとしても、そのこと自体が逆に有名人が隠れて暮らしていることの証拠となるためであり、この意味で高層マンションで立てられている噂は、かつて賑わった地方都市の場所が、たがいにさえ姿をはっきりとはみせない少数の人びとが暮らす場所に変わっていることをよく表現しているのである。

地方の夢

とはいえもちろん高層マンションは、地方都市ばかりにつくられているわけではない。近年地方都市にも目立ち始めたとはいえ、数量的にみれば、あくまで高層マンションは東京に偏って建てられてきた。超高層マンションにかぎれば、そのブームは二〇〇〇年代前半に本格化したものにすぎないが（貞包英之「住居と感覚水準」遠藤知巳編『フラット・カルチャー：現代日本の社会学』せりか書房、二〇一〇年）、実際、そのなかで建てられた物件の多くが東京圏に位置している。たとえば二〇一三年には二〇階以上の超高層マンションの四六・七％とほぼ半数を東京、神奈川、千葉、埼玉が占めている。さらに一〇階以上の高層マンションでみても、三七・〇％

が同地区に建てられているのであり（建築着工統計）、この意味で高層マンションの建築は、首都圏に偏った「東京現象」と考えたほうがよい。

ではなぜ多数の高層、また超高層マンションが、東京を中心に建てられているのだろうか。ひとつに大きいのは、九〇年代なかば以降におもに東京を狙って実行された規制緩和の効果である。都心居住型総合設計制度（一九九五年）・敷地規模型総合設計制度（一九九七年）・建築基準法の改正（一九九七年）・特例容積率適用区域制度（二〇〇〇年）の設定など、都心の容積率を緩和し土地の流動化を促す改革が、集中して実行された。バブルの崩壊とその後の経済的沈滞のなかで、土地をより高度に利用することで都心部の地価の高騰が狙われたのであり、それによって東京の「空中」は開発利権の集中する「ホットスポット」としてデベロッパーや銀行に注目されていく（平山洋介『東京の果てに』NTT出版、二〇〇六年）。

この意味で高層マンションの都心部での林立は、九〇年代以降のアジア諸都市の勃興と、その結果としての都市東京の世界経済の中心からの後退というグローバルな現象と強くむすびついていたといえる。地方都市でも同様だが、商品流通や金融、情報の中心地から脱落することで、東京ではより大規模なかたちで湾岸部を中心に工場、倉庫などの生産・流通施設の遊休が目立っていく。それを再利用する貴重な手段として、超高層住宅は政策的に利用される。倉庫や工場、商業地と異なり、住宅は販売されるならば、それ以上富を産むことはないが、しかし短期的には巨額の富をデベロッパーにもたらす。そうして東京のペリフェリーを一度かぎりで金に換えるいわば禁断の「錬金術」の種として、次々と高層のマンションが建てられたのである。

ただし以上は、供給側の論理を説明するものにすぎない。販売好調だったからこそ、高層または超高層のマンションは建てられていったのであり、ではなぜ、またどんな人びとがそのマンションを買っていったのかについても考える必要がある。外資系に勤める「パワーエリート」という像が購買者のイメージとしてしばしば喧伝されてきたが、筆者らが以前おこなったインタビューでは、そうした居住者はかならずしも目立たなかった（貞包英之、平井太郎、山本理奈「東京の居住感覚のソシオグラフィ：超高層居住をめぐる総合的調査に準拠して」『住宅総合研究財団研究論文集』№35、二〇〇九年）。その代わりに注目されたのは、まず東京都内の住み替えによって資金をつくった移動族である。郊外の家を売った高齢者や、または郊外に住む親から資金をもらった子ども世代だけではなく、タワーマンションを次々と売り抜けていくことで、高層マンションを移動していく人びとに意外に多く遭遇したのである。

こうした居住者の存在は、タワーマンションが「住宅すごろく」のゴールの先にひらかれたゲームの領域がいかなるものであるか具体的によく示す。ただしそうした都内の移転組だけが、マンションを買っていたわけではない。さらに近年マーケティング的に注目されているのが、都市の外部に暮らし、だからこそ居住をおもな目的としていない人びとがタワーマンション購入者に一定数含まれていることである。

そうした購入者としてまず注目されるのが、アジアの富裕層である。近年の円安によって割安化した東京の高級物件が、アジアの富裕層によってさかんに買われているとしばしば語られている。しかしそれだけではなくここで注目したいのは、地方の富裕層がタワーマンションを買っているという噂である。そこに実際に引っ越してくるのか、または一時滞在用や子どものために別荘として買うのかは別として、都心の超高層住宅が地方の富裕層によってさかんに購買されているとしばしば報道されているのである（中山登志朗「都心タワーマンションに群がる富裕層たち」『Diamond Online』http://diamond.jp/articles/-/62463）。

そうして地方の富裕層が東京の高層マンションを買うのは、ひとつに近年、高率化が危惧されている相続税対策のためだろう。現金や株式以上に不動産が相続の際に有利になるからこそ、一定の余裕資金をもった地方の富裕層が、高価な高層マンションを購入する。そもそも地価の下落が続く地方都市では、身近に探そうにも安定した投資対象はみつけがたいのであり、その代わりに比較的安定した資産とみられる都心のタワーマンションが、富を残すためのいわば抜け道として利用されているのである。

この意味で現在の超高層タワーは首都圏に偏った「東京現象」であるとしても、その人気を支えている影の力として、国境を超えるグローバルな資金の流れとともに、地方都市の富裕層の購買力を無視できない。首都圏でも駅から遠い郊外では住宅価格が値崩れを起こすなかで、都心部のタワーマンションは多数の地方から金を吸い上げ、値段を維持または上昇させているのである。

地方の富裕層がそうして活発な投資をおこなっていることは、もちろん責められるべきことではない。ただし結果として、地方都市の経済的のみならず政治的な地盤沈下が引き起こされることで大きな問題も産まれている。地方の富裕層は医者や弁護士などの専門職や、商店を含めた中小企業の経営者からおもに構成されているが、彼らはこれまで地方をベースに富を築い代わりに、祭りや慈善事業に寄付するといったかたちで、その富をしばしば地元社会に還元してきた。地方で名士とみなされ、世代を超え富を維持するためには、善かれ悪しかれ地方への寄付や再投資が欠かせなかったのである。しかし今では地方の衰退を背景に、富裕層はなりふり構わず東京に富を積極的に移動し、なんとか子どもに残すことに熱心になっている。結果として、地方から吸い上げられたマネーは、地元に還流しそこを豊かにすることなく、東京の地価を上げることにおもに用いられているのである。

東京の湾岸部を中心に林立する高層タワーは、こうして地方の富裕層が資産を維持するための便利な装置として利用されているが、その意味でそれはたんに東京における住宅取得のゲームのあらたな展開を表現するだけではない。それは、これまで良くも悪くも街の政治を動かしてきた指導者層の富と関心が地元から失われていることを示す、いわば地方都市の墓標としても屹立しているのである。

快適性の高進

とはいえすべての地方富裕層が、都心部の超高層タワーを購買しているわけではない。高騰を続けるそれらの物件を購入することはますますむずかしくなっているのであり、その代わりに小規模な富裕層が買うのが、地方都市の市内に立ち並ぶ、東京に比べれば割安な高層マンションである。たとえばY市でも、二〇〇六年と二〇一三年にはそれぞれ二三階、二〇階のタワーマンションが中心部に建てられた。それらのマンションは、地方都市でも地価の下落の影響を受けにくい物件として人気を集め、実際、今でもそれなりの安定した中古価格を保っている。

ただし投資の有利さは、あくまで不安定な見込みに留まる。実際、地方都市では高層マンションでさえもしばしば大幅な値下がりがみられるのであり、たとえばY市の隣市のK市に建つ先にも触れた四一階建てのマンションも、田園地帯のなかに建つという特異な事情もあって販売当初からすでに苦戦し、中古価格でも大きな低落をみせている。

にもかかわらず、地方都市で高層マンションがそれなりの人気を集めていることには、投資目的以外の魅力も考えてみなければならない。そこで大切になるのが、高層マンションが、地方都市では経験しがたい「快適」な暮らしを提供していることである。超高層マンションは、規模の経済によって最新の防音、防犯性を備えていることが多く、その結果としての他の住居では得がたい「ホテル・ライク」ともうたわれる快適な暮らしをしばしば実現している。それが、高層マンションの大きな魅力になっている。実際、これはあくまで東京の例だが、先に触れた筆者らがおこなったインタビューでも、超高層マンションの魅力として暮らしの「快適性」が挙げられることが多かった。当初は眺望の魅力が多く語られると想定されたが、考えてみればそれはすぐ飽きられるものであり、またマンションの下層部に暮らす住人には初めから縁のないものである。その代わりに、室内の快適性や防犯性、情報機器の接続の良さ、また部屋に余計なモノを置かないことを可能にするゲストルームやキッズルームなどの諸施設の充実が、高層タワーの魅力としてしばしば語られたのである。

ではなぜ快適な住居が、それほどまでに好まれるのか。どこまで快適な住居を求めるかは、もちろん資金との相談ではあるが、しかし近年では、多大な金をかけてまで住宅に最新の設備を追求し快適性を求めることがブームになっている。そうした快適性の追求には、住居にかぎらず、都市の生活空間全般で進む変化が背景として大きな意味をもつようになっている。

とくにバブル以後、大都市ではなかば神経質にみえるほど快適な空間づくりへの追求が目立った。快適性とは、身体が余分な異和を感じない状態といえるが、そうして身体に生じる異和を慎重に刈り取る作業が、都市の現在では、とくに建築的、または情報技術的に進められているのである。凹凸なくしかし滑りにくい道路や床面、空調管理の容易な開口部をもたない内部空間、過剰な装飾また照明灯を排したしつらえなど、しばしばユニバーサルデザインの仮面をかぶりながら、快適性にできるだけ配慮した空間が、まずはショッピングモールやカフェ、バーなどの商業空間で、次に役所やホールなどの公共施設、電車や自動車などの交通機関、さらにはオフィスや学校でこれまで以上に追求されているのである。

こうした快適性への期待の展開をミクロに示すのが、たとえばトイレの「発達」である。一九八〇年にTOTOによってウォシュレットが一般的に売り出され、また床面が湿式から乾式に代わり、消臭性や防菌性の追求が進むなかで、トイレにも他の建築空間と同様の快適性が求められていく。「コンフォート・ステーション」と呼ばれる、一九八八年に松屋銀座に設けられた化粧や身繕いのためのスペースを備えたトイレを先駆的な事例として、デパートやショッピングモール、駅やオフィスや学校では、よく整備された清潔な、そのためにときには有料のトイレがますます備えられているのである（小林純子・設計事務所ゴンドラ『心に響く空間：深呼吸するトイレ』弘文堂、二〇〇九年）。

このトイレを一例として、快適性のモードが都市の建築的空間ではいっそう追求されている。しかし問題は、にもかかわらず住居ではそれがなかなか達成されていないことである。先にもみたように、日本では住宅はしばしば生涯で買われるもっとも高い商品としてあるが、だからこそ買い替えや住み替えは容易ではない。あらたに住宅を買うまでは、古くなった住戸でも我慢して暮らしていかなければならないのであり、実際、トイレひとつとっても水道施設の制限により、最新の設備を取り入れることのできる住戸はいまだにかぎられている。

そうした状況ゆえに、最新の設備をセットとして整える高層マンションが大きな人気を呼んでいる。情報機器や防犯装置、汚れが目立ちにくいキッチンなどを近年の高層マンションは統一的に揃えるのであり、それもたんにラグジュアリーなものとしてではない。高層マンションのひとつの特徴は、かぎられた空間に大量の住戸を積み上げるその規模の経済にある。格差の象徴として取り上げられることも多いが、高層マンションは、逆に高層化や大規模化によって割安な住戸を提供していることもしばしばである。とくに〇〇年代には、マンションのますます巨大化に伴い、立地やそれが備える情報インフラや防音・防犯性からみれば、格安といってもよいマンションも多数供給されているのであり、それが高層マンションブームを大衆的といってよい規模にまで拡大する引き金になった。

この意味で高層住宅は、八〇年代末以降、都市を覆っていく快適性というモードを、ようやく住戸というかたちで実現する大衆的商品としてあったといえる。宿泊や飲食やショッピングなどの「商品購買」の場に加え、「労働」や「交通」の場で高度な快適性が日本の大都市、とくに東京ではすでに実現されている。しかし他方で都市すべてを快適性が覆うわけではなく、裏道や場末、そして多くの住宅にはそれから抜け落ちる「ほころび」もみられる。それを埋め、住宅において立ち遅れていた快適性を割安で引き上げる商品として、高層住宅は人気を呼んだのである(図8参照)。

快適性によって生活をシームレス(seamless)に覆い尽くすという試みは、傍目には神経質なものにみえたとして、もちろん非難されることではない。ただし良いことばかりではもちろ

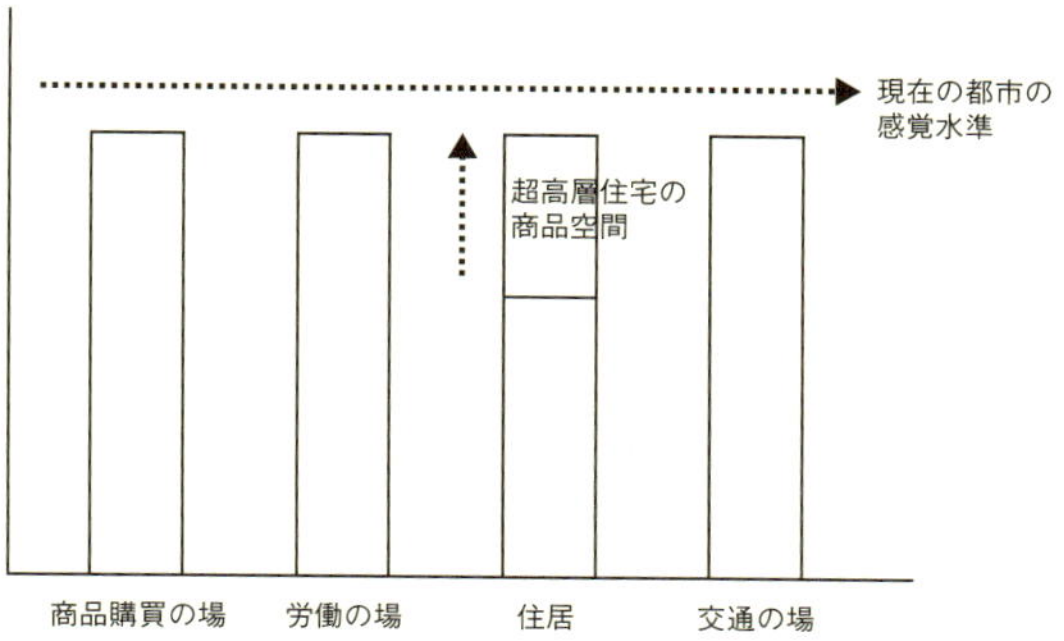

図８　都市の感覚水準

んない。快適性の追求は、たとえば居住移転の自由を実質的に制限する。日本の大都市、とくに東京では快適性の更新がいっそう進んでおり、それを基準とするならば、地球上どこであれ、ほとんどどの場所でも引っ越すことはむずかしくなる。実際、次章でみるように東京を出ようとする人口は年々減っているのであり、そうして多くの人は高い居住費の支払いと厳しい労働生活を代償として引き受けながらも、超高層マンションでの暮らしに代表されるような東京での「快適」な生活にしがみついているのである。

もちろんそれにも例外はあり、その貴重な選択肢として期待されているのが、地方都市の高層マンションである。なるほど東京とは異なり、地方都市はいまだ快適性のモードによって覆われているとはいいがたい。先にもみたが、バブルの浸透と素早い退潮は、歯抜けのように最新の公共施設などの建造物を置いていったばかりで、都市の空間を面的には変えなかった。たとえばＹ市でもバブル以降、駅前の再開発を中心に街の美化が進んでいるが、一方で快適性のモードは都市全体に及んでおらず、いまだ狭小な道路や古びた公共施設も数多く残されているのである。

だからこそ地方都市では、高層マンションの魅力は大きい。高層マンションは、東京でみられる最新のモードを取り入れた居住空間をいち早く、それも比較的安価に実現するのであり、その結果としてそこに棲まう集団を快適性を享受する特異な消費主体に組み替えていく。それゆえそれは、地方都市に富裕層を引き止める手段としても期待されている。発展した交通網のおかげもあり、現在、高層マンションを買うほどの資産をもつ人びとは、ビジネスやプライベートな趣味のために、頻繁に東京や地方中核都市を訪れている。そうした人びとを引き留め、居ながらにして東京発の最新のモードの消費を可能にするいわば東京の「飛び地」として高層マンションは期待され、だからこそ行政も補助金の支出や法制度的な援助というかたちでしばしばその建設を積極的に支援しているのである。

しかし皮肉なことに、一方ではそれが都市の衰退を招いてもいる。しばしば多忙なライフスタイルをとる高層マンションに住む者がどこまで地元に富の還元をしてくれるかは疑わしい。それに加えて高層マンションは、都市東京で展開される最新のモードを取り入れた住居として、ますます既存の住宅の陳腐化を進めることや、さらに直接的にも過剰の供給を産みだすことで、地方都市では物理的に周囲に「空き家」をしばしば増やす。しかし通常の若いファミリーや学生は、その高層マンションにも空き家にも住む権利をもっていないのであり、その結果、中心部活性化の名目のもとに建てられたマンションが、逆に街なかの衰退を招くという皮肉な現象さえしばしば地方都市ではみられるのである。

第2章　地方都市を移動する。

1　鉄道の衰退

近代国家と鉄道

こうして高層マンションは、地方都市と東京をつなぐメディアとして機能する。それは地方都市から富を東京へと流す回路としてだけではなく、逆に東京で一般化しつつある快適な暮らしを地方都市で経験させる装置として働いているのである。

ただし地方都市と外部をむすぶということであれば、鉄道や自動車、飛行機、船などの直接的な交通機関が、より重要になる。それらの交通機関は人や情報、商品を動かしつつ、地方都市と大都市、また海外の都市とをむすびつける役割をますますはたしているのである。

とはいえ交通機関は、無差別に地方都市を外部にひらくわけでもない。それは地方都市がむすびつく場所や経路を定めるのであり、その意味では逆に交通を制限する足かせにもなる。

そのことは、現在の地方都市の交通の原型をかたちづくった近代の道路の開削や鉄道の敷設の経緯をみればよく分かる。道路や鉄道の延伸は、近代国家が地方都市をその傘下に収める欠かせない手段になった。そもそも近世期には、米を中心とした物資を運ぶ水運がさかんだったとはいえ、人びとや情報の移動は一般的だったとはいえない。それに対し、近代国家は道路を開削し、鉄道を敷設し、さらには郵便網や電信網を張り巡らせることで、大衆に移動を解放する。

ただしそれは中央、つまり東京への地方都市の従属を強化することと表裏の関係にあった。鉄道や国道は首都から県庁所在地や軍隊の駐留地、港湾をむすぶものとしてあからさまに設置されていくのであり、それによって首都と地方都市のあいだの人や情報の交流が活発化された一方で、逆にそのネットワークから外れた交通は制限されていくのである。

それはY市においても同じである。Y市は近世期にも最上川水運の拠点として紅花や青苧を集め、日本海経由で京へと運ぶ拠点としてたしかに栄えてきた。ただしそれを過大視してはならない。最上氏五七万石の城下町だったと今ではしばしば喧伝されるが、それは期間としてはわずかにすぎず、Y藩は近世期にますます石高を減らした挙句、近世末には数万石の幕府のなかば左遷地となった。こうした状況は、だが明治維新で大きく変わる。幕末期の混乱のなかで地域の大藩が佐幕派に付き、維新後も不穏な状勢が続くなかで、Y藩はいち早く新政府側に寝返った後、逆にそれらかつての大藩に対して睨みをきかせる拠点として重視される。その流れのなかでY市には県庁が置かれ、また首都へと続く交通の要点にもなったのである。

そのためにあらたにつくられた交通網のなかでもとくに有名になるのが、鬼県令とも呼ばれる三島通庸が開削した陸路である。冬季でも素早く情報を首都東京に伝え、場合によっては軍の出動を要請するために、なかば強引にY市を中心にあらたな道や隧道がひらかれていった。その代表が、一八八一年の天皇の巡行の際に開通した栗子山トンネルである。東北北海道巡行の一環として、秋田方面からY県に入り、Y市の師範学校や製糸場博などの施設を巡りつつ福島に抜けていった明治天皇に、三島通庸はみずからその隧道を案内し、福島県庁まで随伴したという。それはY市を中心にY県が近代の交通網に組み入れられ、国民国家体制へと安全に服属したことを内外に示す象徴的な儀式としてあった。

以来、Y市をおもに水運で上方とむすびつけていた交通体系は大きく変わる。季節に左右されないより頻繁で容易な交通が、首都東京とのあいだにむすばれるのであり、それをさらに巨大な規模で可能にしたのが、一九〇一年にY市へ延伸された鉄道である。鉄道は物流をさかんにしながら、ついに近世的な交通体系を書き換えていく。それによってY市を直接東京にむすびつけるとともに、そこを県内の物資や情報、人材が集まる「小さな首都」に変えたのである。

こうした交通の再編の追い風を受け、Y市は近隣の市や町を追い抜き発達した。たとえば明治八（一八七五）年の時点では、Y市の人口は一万七〇〇〇人台にすぎず、県内の大藩の城下町YZ市（二万九五〇六人）や北回廻船の寄港地S町（一万八五三二人）を下回っていた。しかし県都が置かれ、首都を中心とした国家の交通網に組み込まれるにつれてY市の人口は急増していく。たとえば明治三九（一九〇六）年の時点でYZ市では人口三万三〇〇〇人、S町では二万三〇〇〇人と微増に留まっていたのに対し、Y市では四万人以上と人口は倍以上に増加したのである。

駅のにぎわい

このY市を一例として、近代のあらたな交通網は多くの地方都市の発展を左右する核心的な役割を担ってきた。とくに鉄道は街を近代国民国家へ組み込むと同時に、地域に外部からの情報や物資、そして人材をもたらす基幹的なメディアとして、地方都市の発展と衰退に大きな影響をあたえてきたのである。

しかしだからこそ鉄道は、完全に街に組み込まれたわけではない。鉄道はあらたな情報や商品を運び込む入り口として、逆に街にとっては危険な外部になった。たとえば桜田勝徳（「交通ど生活」開国百年記念文化事業会『明治文化史　一二』日本評論社、一九九二年）によれば、鉄道敷設当時、街の中心部ではなく外れに駅を設置するケースもしばしばみられたのである。

なるほど青木栄一（『鉄道忌避伝説の謎：汽車が来た町、来なかった町』吉川弘文館、二〇〇六年）があきらかにしているように、駅が街の外縁に置かれたのは、通常、語られるように鉄道に対する迷信や恐れといった非合理的な理由にもとづいていたわけではない。地価高騰のため既成の市街地を買収することが困難だったといった合理的理由が、むしろほとんどだったと考えられる。しかしそれを含め、駅を街の中心地に配置しなければならないという通念が少なくとも一般化されなかったことが、ここでは注目される。明治初年、街路が既製の商業地を破壊してまでしばしば引かれたのに対し、遅れてやってきた多くの鉄道の駅は、街の外縁に留められる。結果として駅は、東京を中心とする遠くの場所に人びとを運び、またはそこから物資がもたらされる、街にとって怪しげな「外部」に留まり続けたのである。

Y市のY駅もそうである。一九〇一年につくられる以前、その周辺は廃れた士族屋敷以外は一面の畑だったという。既成の市街地の買収がむずかしかったことに加え、市内に南北にあった二つの繁華街が張り合った結果、その中間につくられたといわれているが、駅はいまなお増改築がくりかえされながらも、そのまま旧来の中心市街地から離れた場所に鎮座している。

しかしそうして街に組み入れがたい外部としてあったからこそ、駅周辺にはしばしばあらたな繁華街も発展した。既存の商業施設や住宅が周囲に少ないことで、物理的に大規模な店が出店できただけではなく、しがらみの少なさから新規な商売を始めることが駅周辺では容易だったためである。その結果、駅周辺では新規な商売が活性化していく。Y市でも駅周辺には、演芸場・映画館や宿、また大型デパートがこれまで立ち並んできた。駅は東京を始発点とした新規な文化を街にもたらすメディアとして、既存の商店街とは異なり浮薄だが、活気のある賑わいをつくりだしてきたのである。

こうしたメディアとしての駅の役割の頂点となったのが、Y市では一九九二年の新幹線の延伸である。東京へのアクセスを三時間以内のものにする新幹線の導入によって、首都との関係が再強化される。それを契機として旧市街地とは異なる文化や情報の発信地とすることを再度期待して、駅一帯の再開発も進められた。駅舎が清潔で快適な中層ビルに変えられるとともに、先にも触れたように駅に隣接して二四階の官民複合型ビルや音楽ホールが建てられることで、県都の玄関としての佇まいが整えられていったのである。

駅の衰退

けれども駅を中心としたこうした地方都市の賑わいは、一方では日に日に失われている。大都市とその近郊では、たしかにいまだ駅は生活の中心にある。都市民の足として活発に使われることで、駅の周辺には、商店街や喫茶店、デパートが今なお立ち並んでいるのである。

しかし地方都市ではそうではない。多くの地方都市で、駅は多くの人びとにとってたまの出張や遊びのために街を離れる際に通過する例外的な出入口になってしまった。物資の移動や人の移動はより一般的には別の回路でおこなわれているのであり、その結果として全国的にみても鉄道の旅客運輸量や貨物輸送量は、近年頭打ちになっている。

それはY市でも同じである。高度成長期を頂点に、Y市の鉄道は衰退し、二〇〇二年に貨物駅が廃止されたことに加え、乗降車数も停滞している（図9）。国鉄民営化や新幹線の到達の波に乗って、九〇年代なかばには若干の乗客数の回復もみられたが、それも一時のことにすぎず、依然、鉄道を利用する人は増えていないのである。

その結果、駅は日常的に使う者が少ない寂れた場所になりつつある。先にみたように、新幹線の到達に伴い、Y駅はリニューアルされ、それに伴い商業施設やホテルが建設されることで、駅周辺に「快適」な空間がたしかに整備されている。しかしその駅が本当に賑わいをみせるの

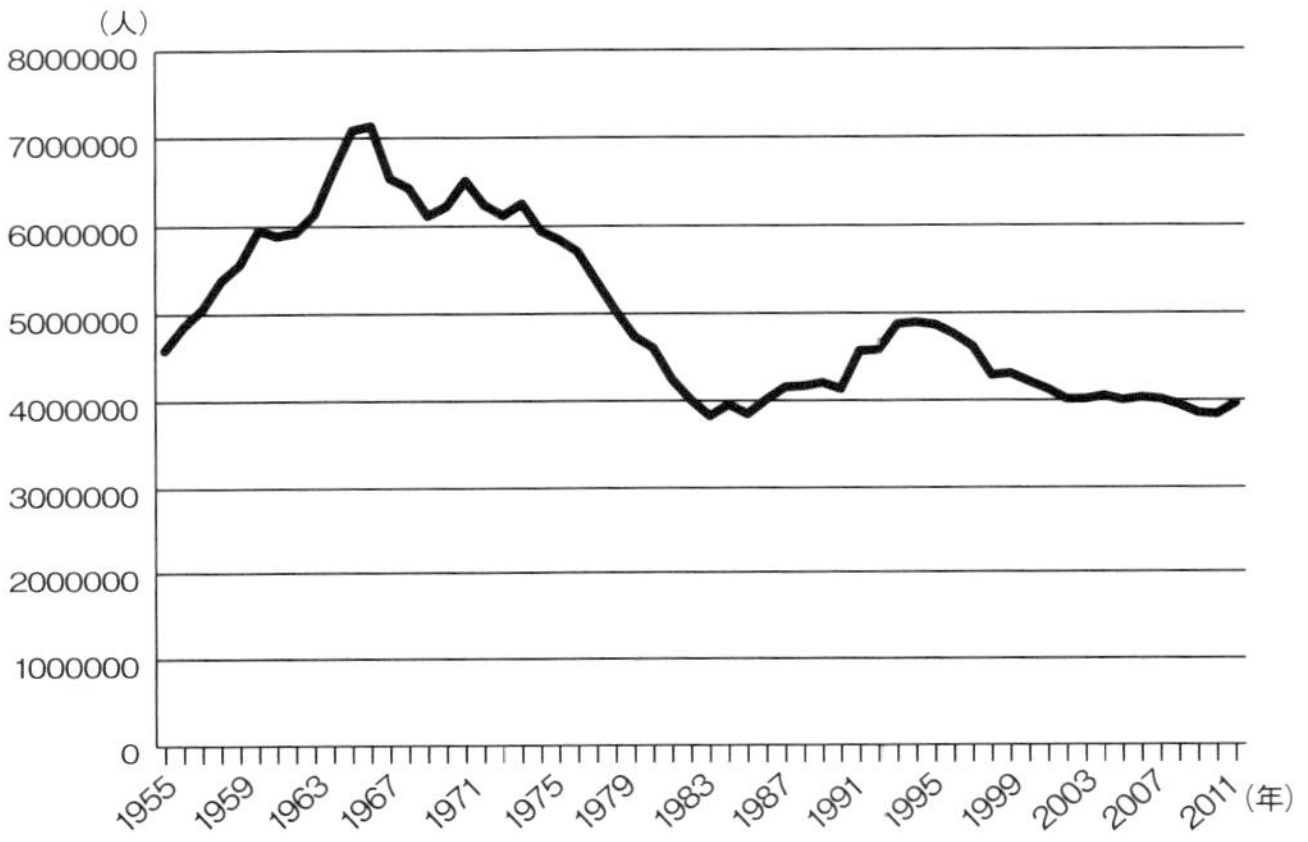

図９　Ｙ駅乗車人員：山形市統計書

は、盆休みや正月休みなど、東京から帰省客を迎える一部の時期にすぎない。それ以外の時期は、高校生以外訪れる人の少ない閑散とした場に基本的には駅は留まっており、こうした寂れ具合を目にみえるかたちでよく示すのが、駅前に残された広大な空き地である。バブルの余波のなかで駅近傍には高層ビルと音楽ホールがつくられたが、実は目立つのはその建物よりも、そのあいだにいまだ拡がる空き地である。再開発のなかで大ホールが計画されながらも、地価の低下によって資金繰りが厳しくなったこともあり、開発のめどが立たないまま、駅前の膨大な土地が空き地のまま放置されているのである。

以上のような状況は、Ｙ市にかぎられない。かつて鉄道は首都と地方都市をむすぶ鎖として地方都市の繁栄を支えるとともに縛ってきたが、そうした鎖は、しかし今ではかなり緩んでいる。中央の力が、揺らいでいるのではいない。山手線を中心とする首都圏交通や東京大阪をむすぶ東海道新幹線、さらに最近では大都市を中心とした駅ナカ開発が収益の大きな部分を占めるというように、ＪＲ各社はむしろ地方に依存しない自立的な経営を確立している。しかしだからこそ採算の上がらない地方路線は重荷とされ始めているのであり、その結果、地方路線は中央の意向に追随することで何とか維持される「二次的」な交通機関へと貶められるか、そうでなければ廃止を宣告されているのである。

近代が産んだ巨大なインフラとしての鉄道は、結局のところ、首都を中心とした近代国家の枠組みを前提としなければ、維持しがたいものなのかもしれない。近年、鉄道の第三セクター化やＬＲＴ等の代替交通網の敷設によって、地域内の交通を主目的とした鉄道がたしかに注目されている。しかし一部の例外を除けば、それらがどれほどうまくいっているかは疑問が残る。多くの地方で鉄道は、地方自治体や国や中央からの直接、間接の援助を前提としてなんとか運営されているにすぎない。にもかかわらず、またはだからこそ街に外部から富をもたらす魔法の杖として、地域内鉄道に加え新幹線やリニアモーターカーなどの誘置が人口減少下のいまなお期待され続けているのである。

地方都市では、こうして鉄道の衰退がいまではあきらかだが、逆にだからこそ近年鉄道のブームがさかんになっているのかもしれない。鉄オタを主人公とした漫画がつくられ、また鉄道マニアを売りにするアイドルが人気を集めているが、それらの人びとを列車や駅に向かわせるのは、ひとつに鉄道が近代日本のなかではたしてきた社会的意味だろう。近代日本において、鉄道は中央と地方都市とをむすびつけ、人や物資、情報を運ぶ中心的なメディアとして働いてきた。たとえばなぜわたしたちはここに住んでいるのか。その答えには多くの場合、鉄道が関与する。鉄道は自分や親たちをこの場所に送り届けるとともに、中央から地方に様々な物資や情報を運んでくる装置として役立てられてきたのである。

しかし近年、全国の都市をむすびつける鎖としての鉄道や駅の役割は揺らいでおり、それが逆説的にも鉄道ブームに拍車をかけている。今しかみられない駅や列車をみるだけではなく、それによって鉄道が支えてきた近代日本国家の繁栄と一体感をもう一度追体験すること。辻泉（「なぜ鉄道オタクなのか：「想像力」の社会史」宮台真司監修『オタク的想像力のリミット：〈歴史・空間・交流〉から問う』筑摩書房、二〇一四年）は鉄道オタクの発生を、一九七〇年代に「殖産興業」の可能性が潰えたことで、鉄道に対する想像力の拡がりが「虚構」化することにみているが、そうした「虚構」化は、地方都市のリアルでときに悲惨な切り捨てと深く関係している。つまり鉄道を愛好することには、地方都市を取り巻く現実をあえて忘れ、歴史の時計の針を逆行させつつ、地方都市と中央が深くむすばれていた賑やかな時代を追想するという快楽がおそらく含まれているのである。

2 自動車と街の更新

自動車の誘惑

ではなぜ地方都市で、鉄道は廃れつつあるのか。たんに中央からの財政的支援が減ったからだけではなく、より重要になるのは、地方都市での情報流通や交通の形態が近年、劇的に組み変えられていることである。かつて地方都市と中央をむすびつけた移動や物流、情報回路をむしろバイパスして走るネットワークが、ところ狭しと張り巡らされているのであり、それが既存の鉄道や駅を衰退へと追いやる大きな流れをつくりだしている。

その中心にあるのが、自動車交通の発達である。多くの人が指摘してきたように、自動車の普及は、地方都市の交通の体系を根本的に変えてきた。たとえば自動車は、駅を中心として発展してきたかつての中心街を迂回する交通を一般化する。駐車場や交通渋滞の問題がどうしても残る駅前や中心街をバイパスし、都市の内外をより自由かつ複雑にむすぶ交通網を、自動車はつくりだしてきたのである。

Y市では、こうした自動車の働きが、とくに顕著になっている。そもそもY市やそれが所在するY県では、全国的にみても自動車が著しく愛好されている。平成二五年三月末の一世帯当たり自家用自動車保有台数でY県は二・二九台で、全国平均の一・四三台を上回り、全都道府県中でも福井県に次いで二位を占めている（『2013　山形のくらしと経済』）。それはひとつには公共交通の弱い郡部を大きく抱えるからであり、またそもそも世帯の人数が大きいためである。しかしそれですべてが説明できるわけではない。たとえばそれなりに都市化されたY市の一人あたり支出にかぎっても、自動車にかかわる支出はかなり高額である。Y市は二〇一三年に都道府県所在地のなかで三番目の多さに当たる一人あたり一万二一六五円を支出していたのであり（家計調査）、その意味でY市民は世界的にみても、不況のなかでさえ自動車を好み、そのために金を費やすおそらく有数の消費者なのである。

ではなぜ地方都市の人びとは、自動車をそれほど好むのか。「アメリカ人は四つの車輪をもった生き物である」とマーシャル・マクルーハンはかつて語っていたが（栗原裕・河本仲聖訳『メディア論：人間の拡張の諸相』みすず書房、一九八七年）、それと同じ状況が、今ではほとんどの日本の地方都市でみられる。どこにいくでも自動車を用い、歩行者が怪しい「不審者」とみられかねない喜劇的な事態——ジャン・ボードリヤール（田中正人訳『アメリカ：砂漠よ永遠に』法政大学出版局、一九八八年）がかつてアメリカで観察していたように——が、日本の地方都市でも一般化されているのである。

こうした普及の理由としてまず考えつくのは、自動車を必要とさせる交通環境がそこに拡がっていることである。地域内をむすぶ鉄道等の公共交通が貧弱だったこともあって、戦後、地方社会では道路の整備が進められる。街とその周辺の農村地帯をむすぶ舗装された道路が、

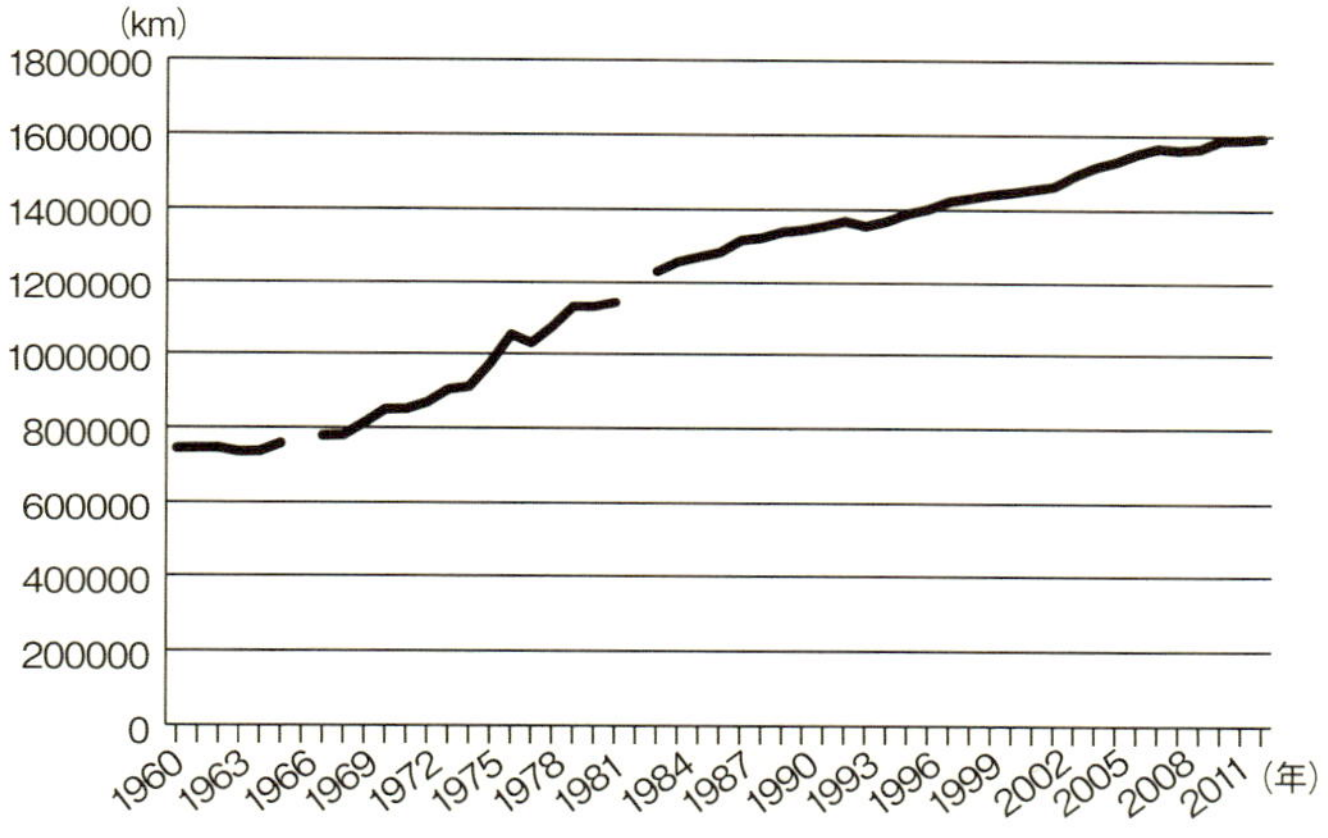

図10　Y市道路総延長：山形市統計書

継続的に拡張されてきたのであり、たとえば図10はY市における道路の総延長キロを示す。興味ぶかいのは、その増大の一貫性である。先にみたように、Y駅の乗客数は六〇年代後半をピークに減少し、Y市の人口も八〇年代以降伸び悩む。だがそれをものともせず、道路だけはほぼ一貫して延長されてきたのであり、こうした環境の整備が自動車の普及を支える大きな力になった。

　道路の以上のような拡張を後押ししてきたのは、国の政策的かつ財政的な後押しである。自動車取得税や揮発油税を中心に、道路敷設のために税収を分配する政治経済システムがこれまで稼働してきたのであり（服部圭郎『道路整備事業の大罪：道路は地方を救えない』洋泉社、二〇〇九年）、それを前提に地方には、仕事や買い物、レジャーや医療のために車がなければ行動しがたい（といわれる）社会がつくりだされてきたのである。

ただし道路整備のせいで仕方なく、自動車が物理的に必要とされたということだけでは、自動車の普及は説明できない。自動車の普及こそが、それを必要不可欠とする社会をつくりだしたという逆の動きも無視できないためである。そうした歴史的メカニズムを考える上で重要になるのが、自動車がつくられ、また消費される商品として、消費社会のなかで特別な位置を占めてきたことである。自動車は、住居に続き有数の高額な商品であることや、産業規模の大きさにおいて、消費社会の始まりの頃からその稼働を支える特別の商品になってきた。二〇世紀初頭のT型フォードの販売、さらにはフォードを追い抜いた一九二〇年代のGMの興隆以来、自動車はそれを買い、乗り、さらには買い換えることを世界中の人びとに促す媒体とされてきたのである。「必要」を超えた消費の楽しみを教えることで、消費社会に並走してきたこうした歴史が、今なお自動車の記号的意味に大きな魅力を付け加えている。長い歴史のなかで膨れ上がってきた多様な差異の展開のみならず、著名人や家族の祖先に愛好され、また国の命運とむすびつけられてきた来歴が、自動車に特別の神話的奥行きを加えているのである。

こうした記号としての商品の魅力を、自動車を普及させ、またその結果として自動車を必要とする社会をつくりだしてきた歴史的根拠として考えてみる必要がある。ただし一方で、現在ではそうした魅力が揺らいでいることも事実である。世界的に自動車を安価で、買い替えの必要のないコモデティにする動きが進んでいるからであり、とくに地方都市ではそれが顕著である。記号的に特別の価値をもつ車ではなく、軽自動車や中古車などより耐久消費財化した自動車がおもに利用されているのであり、この意味で記号的価値からだけでは、地方都市での自動車の商品としての魅力を充分にあきらかにすることはできない。

それを考える上でより重要になるのが、地方都市において自動車がむしろ人びとの私的な自由を実現する手段になっていることである。たんに自動車を選択し買うという直接の消費の自由だけが問題になるわけではない。たとえば自動車に乗るかぎり、人は他人を気にせず、自分の好きな時間に家を出て、好きな場所に出かけることができる。こうした自動車の特徴を、ジョン・アーリは、移動を「個人化」するものとみた（マイク・フェザーストン、ナイジェル・スリフト、ジョン・アーリ（近森高明訳）『自動車と移動の社会学：オートモビリティーズ』法政大学出版局、二〇一〇年）。たとえば自動車は真夜中であれ、自分の必要に応じて、人びとに出かけることを許すのであり、自動車が実現するそうしたプライベートな移動の可能性こそが、自動車の最大の魅力というのである。

こうした自動車の魅力をより切実に把握するためには、そもそも前時代の鉄道が定時に、集団を決まった場所に運ぶことを前提に運行されていたことを思い出す必要がある。鉄道は年齢や階層を超えた人びとを集め、移動を集団化する装置としてある反面、集団のニーズに外れた移動を途端にむずかしくしてきた。そうして鉄道は集団を集団として行動させる「群衆社会」をつくりだす大切なインフラになってきたのだが、それに対して自動車はその「群衆社会」を解体する力になる。自動車に乗っていれば、人びとは他の人の動向を気にせず、自由に買い物に出かけ、職場に通い、集い、または別れることができる。そうして「群衆社会」から距離をとり行動できる私的な自由こそが、自動車の魅力の大切な部分をたしかに構成してきたのである。

ただし実際的にみれば、この移動の自由に限界がないわけではない。皮肉なことに、自動車の普及こそが、個々の自動車の移動を妨げる面さえもつからである。たとえば大量の自動車はしばしば都市に交通渋滞を発生させる。そのためにあらたな道路の敷設も叫ばれるが、その効果は怪しいものといわれている。自動車に乗って出かける需要をますます活発化するといういわゆるストロー効果を、道路の新設は発揮するためである。それに加えて目的地そのものを限定するという弱点まで自動車はもつ。目的とする場所にようやくたどり着いたとしても、多くの車にすでに駐車場を占有されていることもしばしばなのであり、その場合には駐車場を探して彷徨するか、目的地を変えるしかない。

地方都市においても、こうした自動車の逆説的な移動の不自由さは否定しがたい。渋滞は大都市ほどではないという見方もあるが、しかし自動車に頼る以外に交通手段がないという意味では、渋滞の及ぼす影響は大都市以上に深刻とさえいえる。実際、一人あたりでみれば、渋滞による損失時間は、しばしば地方都市でより大きいともいわれており、少し古い数値だが、たとえばY市では二〇〇一年には一人あたり東京都（三〇時間）の倍近くの五七時間が、渋滞によって奪われたと計算されているのである（山形県土木部『道力　やまがた2007』山形県土木部、二〇〇四年)。

この意味で自動車が解放するとされる移動の自由は、しばしば「幻想」にすぎないというべきである。むしろ私的な自由ということでいえば、地方都市に展開される「消費社会」をより深く生きさせる媒体として、自動車はより大切な意味を担うのではないか。自動車に乗ることで、街なかを避け、混雑の少ない買い物の場所に出かけられるからだけではない。自動車は、そのなかで自由な消費を追求するための貴重なシェルターにもなる。たとえばしばしば人びとは渋滞のさなかにさえ自動車で、音楽を聴き、コーヒーを飲み、または携帯で情報コンテンツを消費することを楽しむ。自動車はそうして移動をむしろアリバイにしつつ、中小都市では少なくなった喫茶店、カラオケ屋、ホテルの役割をいわば代替しているのであり、さらに近年の情報環境の整備はそこをオフィス、映画館、ゲームセンターに変えている。そうして実現されるプライベートな時間こそ、地方都市における自動車の魅力の本質的な要素として考えてみる必要がある。実際、地方都市の駐車場では朝、職場にいくことなく、車のなかで時間を潰す人の姿がしばしば目立つ。「移動」という意味でみれば無意味なこの行動も、当人にとってみれば、家族からも、職場のしがらみからも離れた自由な時間を享受させるという点ではかけがえのないものになっているのである。

いいかえるならば自動車は、地方都市で展開され始めた「消費社会」を楽しむための「消費手段」(ジョージ・リッツア(山本徹夫、坂田恵美訳)『消費社会の魔術的体系：ディズニーワールドからサイバーモールまで』明石書店、二〇〇九年）として、ますます大きな役割を担っている。しばしば世帯規模が多く、しがらみもつきまとう地方都市では、自動車はそれによって、またはそのなかで日常の倦怠を忘れ、消費を楽しむ欠かせない手段になっている。地方都市で、ひとりに一台の車さえ「必要」とされているのもそのためである。たとえばY市でも二〇一二年には一・三二人、さらにY県では一・二五人に一台の割合で自動車が保有されており、それを一例として、運転のできない子どもや高齢者を除けば、地方都市では車はひとりひとりがそれぞれ所有する機械にかぎりなく近づいている。もちろんファミリーカーの需要もないわけではないが、しかし一家揃っての行楽はしばしば年に数回はたされるだけの非日常的な楽しみに留まり、より現実的には自動車はひとりひとりに自由な時間と、消費の権利を確保する大切な道具になっているのである。

それでもなお、わたしたちは自動車を便利な交通手段として深く夢みており、そこからなかなか覚めようとしない。それは自動車を必要物と夢みることで、より深く「消費社会」という眠りのなかに留まることができるためとさえいえるかもしれない。つまり地方都市では、自動車は消費社会のなかで、私的にまた一人前の人間として生きる「尊厳」を保障する道具としての役割を大きくしているのであり、逆にそれを正当化するために、人びとは遠くの職場に通い、仲間の集まりに出かけるなどして、自動車が必要であることをしばしば装っているのである。

郊外の社会的費用

自動車はこうしてひとりの時間を確保させ、また孤独な快楽の追求を促す手段として、ますます地方都市の生活に密着している。ただしそうして個々人の生活を個別に変えているだけではない。自動車の普及が、都市の集団的な暮らしの構造を本質的に変えていることが、とくに地方都市では大切になる。

振り返ってみれば、かつての代表的な交通機関としての鉄道も、広場や街頭を産みだすことで、都市生活の基本的なかたちを定めていた。鉄道に乗るために駅前には年齢や階層を異にする多くの人びとが滞留し、時間を潰すために買い物をし、喫茶店に入り、会話していたのである。しかし自動車はそうした集合的な場をむしろ都市から削り取る。自動車に乗って、自分の好きな時間に家を出て、好きな場所に行く上では、広場や街頭など大掛かりな待ち合わせの場所は必要とされない。むしろ混雑を招くという意味では、それらは邪魔になるのであり、その代わりにいまでは自動車での交通に便利なように店や公共機関、企業が、幹線道路沿いに散らばっているのである。

店や公共機関、さらには住居が街の中心部から消えるこうした変化は、「郊外化」と呼ばれ、二〇世紀の都市の変化を特徴づける基本的な現象とみなされてきた。自動車の普及に伴い、都市の外縁に住宅街や商業地が配置されていくのであり、その結果、多くの人が集い、交流しながら送られる社会生活の場としての都市のイメージも、今では多くの場所で、時代遅れのものになっている。沢山の人と遭遇せず、遭遇するとしてもショッピングセンターや病院などを使う同じ階層や年齢層の者であるような、代わり映えのない日々が二〇世紀以後の都市ではますます普通になっているのである。

こうした変化は、日本の地方都市でもよく観察される。たとえばY市でも、戦後、自動車の普及に伴い、住宅地がかつての都市の外縁にしだいに広がり始めた。Y市では、戦前より土地区画事業によって農地を住宅地に変え市域に組み込む手法がみられたが、それをいっそう活用することで都市のスプロール化が進められたのである。それに対処するために、一九七〇年にはあらたな都市計画法にのっとり市街化区域と市街化調整区域が区分けされ、後者での住宅の建設が原則禁止された。しかしそれも事態を大きく変えなかった。**図11**が示すように、大規模な土地区画事業が計画されるごとに、市街化区域が段階的に拡大されてきたのであり、その意味では区分けはむしろ郊外での住宅開発を正当化するツールとして使用されてきた節さえある。

そのように郊外化が止めがたく進められた背景として、まず利益獲得を狙った開発業者の意向、また農地改革の際あたえられた土地の売却を狙う農民の希望、さらにそれらを利用した行政や政治家の思惑を無視できない。先に触れたように戦後には住宅建設が経済発展を維持するキー的役割をはたしていくが、その住宅開発に加え、道路や公園を造成することで、多大な利権が地方に誘導されたのであり、だからこそ行政の裁量権を拡大し、また固定資産税の増加によって自治体の税収を増大させる手段として、郊外化に期待が寄せられてきたのである。

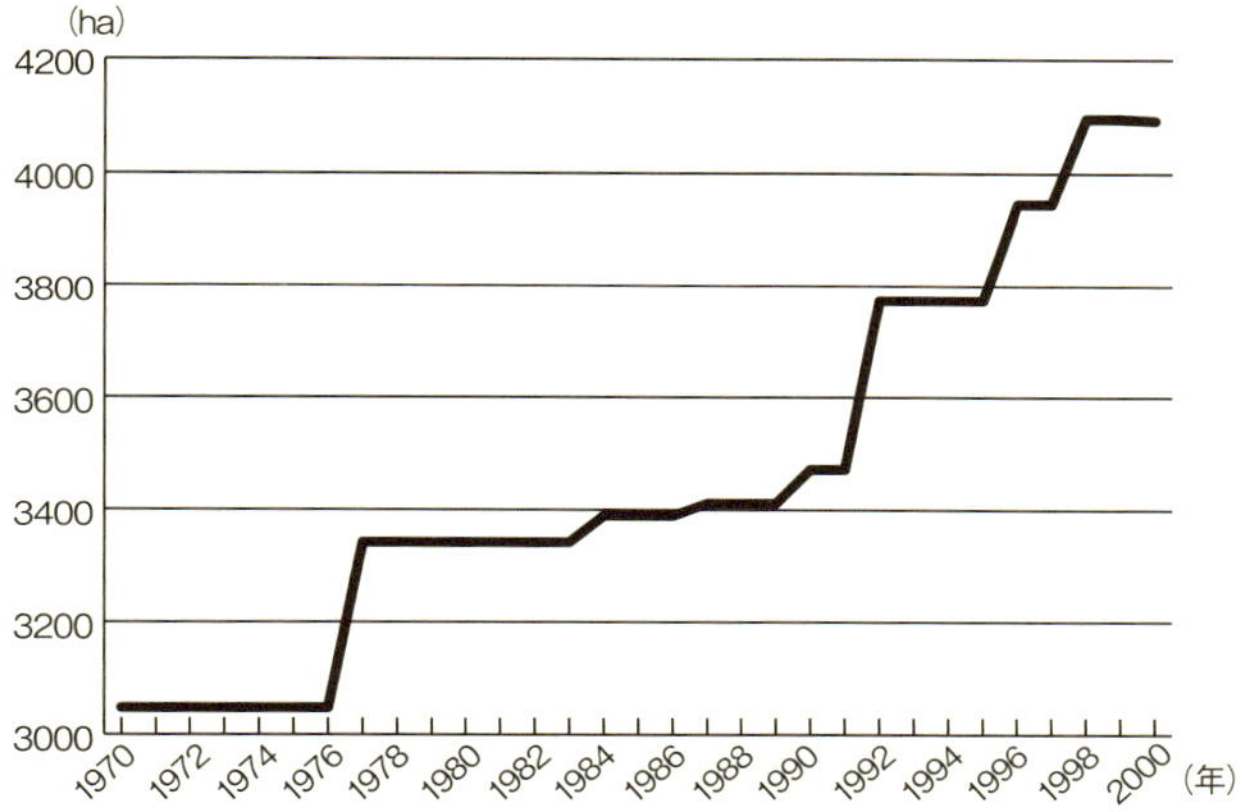

図 11　市街化区域面積：山形市統計書

とはいえそうした地方経済や行政の思惑だけではなく、自動車を求める都市住民の欲望も郊外化を押し進めた力として重要になる。自動車の普及が、都市のスケールを拡大し、住宅地・商業施設や公共施設を交通の便利な街の外縁に移転させただけではなく、逆に自動車を買い維持するためにこそ、郊外住宅は買い求められたのではないか。問題は、七〇～八〇年代の地価の高騰によって、地方都市でも駐車場を備える家を街なかに取得することはむずかしくなったことである。それに対し駐車場の設置が可能な、いまだ地価の割安な郊外住宅が好んで買われていくことになる。

この意味で郊外化の進展の結果、自動車が必要とされたという順接の関係だけではなく、自動車を「消費」する欲望こそが郊外化を促進するという逆転した関係も考えなければならない。日本自動車産業の拡大に応じ、高度成長期以後、Y市でも自動車の普及が急速に進む。一九六〇年に二四・四人に一台だったのに対し、七〇年には六・六人に一台、一九八〇年には二・五人に一台と、一家、または一人に一台所有されるものに自動車は一気に変わっていくのであり、そうして複数台、自動車を買い運用する拠点として、郊外住宅は必要とされたのである。

だとすれば郊外化が地方都市にもたらしたさまざまな問題まで、自動車のコストと考える必要がある。かつて宇沢弘文は、自動車の社会的費用として、安全な歩道をつくるためのコストまで含め計算した。自動車は通行人を危険にさらすが、それを防止する費用を含め、自動車がもたらす経済的な負担に組み込まなければならないというのである（宇沢弘文『自動車の社会的費用』岩波書店、一九七四年）。自動車がますます普及した現在では、さらに郊外化によって増加した社会的な負担まで、自動車の費用に含まれる。郊外化は道路の拡充に加え、そこに暮らし始めた住人に対する公共施設の新設やインフラの整備の需要を産むことで、自治体の財政を厳しくするからである。

それに加えてよりラディカルには、街の政治的な意志統一をむずかしくすることまでが、郊外化のコストとして考えられる。Y市も同じだが、コンパクトシティといった構想が多くの地方都市でさかんに唱えられているが、それを実効的に実現している自治体は少ない。すでに郊外に多数住む住人の意向を無視して、都心集中を進めることはもはや現実的ではないからであり、だからこそ、二〇〇〇年代初めに進められたいわゆる「平成の大合併」においても、Y市周辺では合併は実現されなかった。自治体の合併は、良かれ悪しかれこれまで各自治体がつくりだした文化施設や行政機構の統合廃止につながる。しかし自動車が実現したY市周辺にまで及ぶ郊外化は、それを議論する政治的な土台を解体してしまっているのである。

それを一例として、都市生活を広域的かつトップダウン的にデザインする旧来型の都市計画も、今ではきわめてむずかしくなっている。一九世紀後半から二〇世紀なかばに至るまでは世界的に都市改造の時代にあたり、巨大な資本や政治力を動員し、都市プランナーや著名建築家を中心に多くの都市計画が建てられ、またまがりなりにも実現されてきた。しかし郊外化による都市のまとまりの分散は、中心街とそうでない場所を定めるような都市計画をむずかしくしているのであり、それゆえ今では都市計画は現実の都市の解体を追認していく行政主導のタイプのものとしてようやく生き延びているにすぎない。それをペシミスティックに嘆きたいのではない。都市計画のそうしたラディカルな変容が、かつては一定のまとまりとしてまがりなりにも生きられた「地方都市」を、もはや現実的には無効化している可能性が興味深いのである。

街の代償

自動車の普及は、こうして郊外化によって街の外縁部の風景を大きく変えたが、それだけではなく、さらに既存の中心部の街並みさえ根本的に再編している。道路の幅を拡げ雑踏を分断することを一例に、より自動車交通に便利なように街の基本的なかたちをつくりかえていくこ

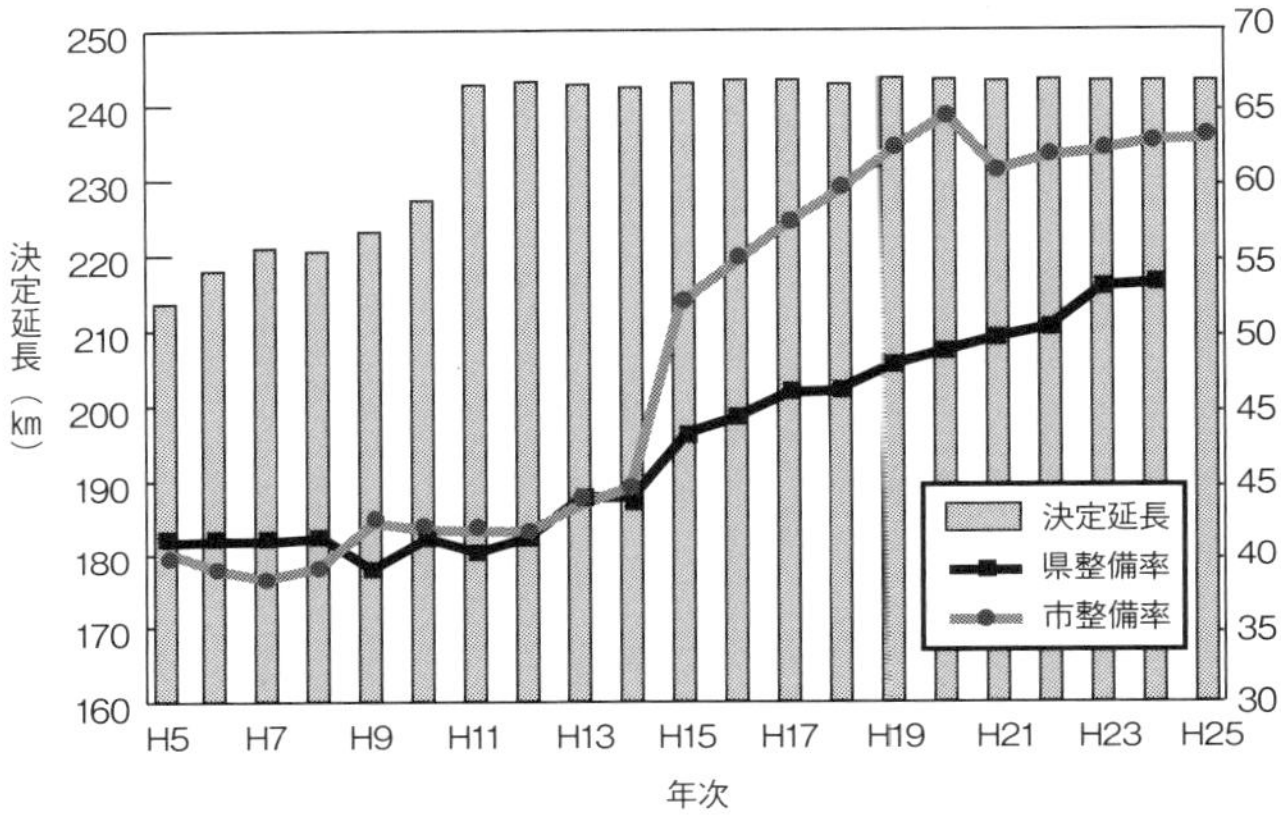

図 12　都市決定道路延長決定及び整備率：第 118 回山形市都市計画審議会報告資料より引用

とで、自動車は中心街から客を奪い、衰退に追いやっているのである。

たとえばY市でみれば、その街並みは戦争や経済発展から縁遠いことで、比較的、近世以来の構造を保たれてきた。良くも悪くもコンパクトに残されてきたこの街並みは、しかし近年、自動車の交通の増大によって解体されようとしている。たとえばY市に残された近世以来の外敵を遠ざけるための狭小の鍵型の道やT字路は、自動車に不便なものとして「改良」が進んでいる。住宅・商店のセットバックや用地買収によって多大な金をかけつつ、自動車に便利な直線的な道が街なかに幾筋も引かれているのである。

実際、**図12**からは、Y市でとくに市の働きかけのもと、近年道路整備が加速していることが確認される。戦後、Y市では道路建設が着実に進んできたことを先にみたが、それでも計画すべてが実現されたわけではない。とくに街なかでは用地買収やそのための費用の問題から、戦前からのものを含む多くの道路計画が、途中で頓挫してきた。しかし〇〇年代初めに、多くの計画が急に進み、整備率も急上昇する。その理由として、まず近年の補助金制度の整備が重要になる。同時期には道路を膨張させる元凶として、道路の特定財源制度への批判が高まり、その代わりに道路整備を一般財源化する「まちづくり交付金」制度が二〇〇四年につくられた。しかしこの制度は、「二〇〇七年までの申請に対しては一件も拒否していない」（五十嵐敬喜、小川明雄『道路をどうするか』岩波書店、二〇〇八年）といわれるようにザル的な面をもっており、むしろそれを利益誘導のために利用し、多くの道路が地方でつくられていく。実際、Y市もそれを用い総計七〇億円の交付を得て、中心市街地を走る五本の幹線の整備を含む都市改造に乗りだしているのである。

こうした行政的な制度の変化に加え、さらにショック・ドクトリン的な動きも無視できない。ナオミ・クライン（幾島幸子訳『ショック・ドクトリン：惨事便乗型資本主義の正体を暴く』（上）（下）、岩波書店、二〇一一年）は、災害が起こった後、どさくさ紛れに新自由主義的な変革がしばしば進むことを指摘しているが、それと似た動きが、地方都市では現在進行形でみられる。そもそもこれまで道路整備がなかなか進まなかったのは、地権者や住人の反対や、地価が相対的高値で工事費用が捻出しがたかったためである。しかし現在の高齢化や地価の下落は、用地の買収を年々容易にしている。地方都市の衰退のなかで、道路計画に反対する主体は数を減らしているのであり、結果として、戦前にまで遡る「絵に描いた餅」にすぎなかった都市計画が、堰を切ったように実現されているのである。

以上のように、地方都市では郊外を走る道路だけではなく、街なかへの幹線の導入が進められ、それが都市構造を大きく変えている。人口減少下において今後は交通量の減少も予想され、それゆえに計画の見直しも唱えられている。それでも道路開発はなかなか止めがたい。衰退する地方都市に金を回す手段として、補助金や交付金を前提とした道路の敷設がますます便利な道具になっているからであり、そうして中央への依存を強めながら、戦争によってもバブルによっても壊されなかった街並みが、皮肉にも街づくりの名のもとに破壊されている。

その結果を目にみえるかたちでよく示すのが、街なかでの駐車場の増殖である。Y市でもそうだが、地方都市の中心部ではかつて住居や商店やスーパー、または映画館だった場所が、幹線道路が街なかを貫通するのに応じて、次々と駐車場へと換えられている。郊外から中心街に来る人びとにとって欠かせないという意味では、「空き家」や「空き店舗」に比べ、駐車場はたしかに経済的価値があるのだろう。ただし程度の差があれ、それらが街の賑わいを奪っていることに変わりはない。駐車場は店や公共施設、また住居と比べても来訪者を引き寄せない「死んだ土地」としてありながらも、相対的に大きな空間を専有する。にもかかわらず駐車場ばかりが拡がる冗談のような街が数多くの地方都市にはつくられているのであり、こうした動きは駐車場の増加が、街なかに来る意味を完全に奪うまでおそらく止むことはない。

自動車の普及は、以上のように街なかの賑わいを寸断し、また駐車場という空白の場所を増殖させることで、街なかの衰退を促す。しかしむずかしいのはそれが自動車に乗る人びとにとって、かならずしもマイナスの現象とはいえないことである。極端にいえば、こうした街の衰退が逆に自動車の魅力をますます高めるというマッチポンプ的構造さえ、みることができるのである。

そもそも歩いていける場所に多くの店や公共施設が固まってあれば、自動車は必要とされない。そうではないからこそ自動車は用いられるのであり、その意味で自動車はまず街の衰退を乗り越える個人的な手段としてあるといえる。たとえば商店街や病院、友人の家、そして鉄道やバスといった交通手段が町の中心から消えることに、わたしたちは対処しようがないが、しかし自動車はそれをなかったことにしてくれるのである。さらに自動車は、他市の繁華街を利用するなど選択肢を拡げることで、より「豊かな」生活を約束する。そもそも自動車利用者にとって、自分が住む街の衰退はかならずしも嘆くべきことではない。それは混雑を解消し、他市を含めたより広範囲の目的地へのアクセスを容易にするという意味では、逆に望ましいとさえいえるのである。

こうして自動車の普及は地方都市の空洞化を促すが、逆にそうして都市が衰退するほど、自動車の利便性は高まる。その意味で自動車は、廃墟としての都市を養分としながら、地方都市でいっそう必要とされているといえる。いや、いまでは地方都市そのものが自動車のみる夢なのだというべきかもしれない。二〇世紀の産業の発達は、大量の自動車を産み消費していくことを人びとに促していったが、それが支える集団的な夢として、「地方都市」という生活の形式はぎりぎり延命されているのである。

3 移動の停止、犯罪の軌跡

移動の死

自家用車の普及は、こうして地方都市の構造を大きく揺るがすが、さらに興味深いのは、それが地方都市の内部の交通だけではなく、地方都市を取り囲むよりマクロな移動に影響を及ぼしている可能性である。

近年、地方からの若年層の流出が増大していることがしばしば危惧されている。たとえば増田寛也（編著『地方消滅』中央公論新社、二〇一四年）は出生率の低下と合わせ、若年女性を中心とする若者が地方に居着かないことを地方における人口減少の元凶とみなしている。増田自身が認めるように、出生率は大都市よりも地方のほうが高く、その意味では人口減少の度合いも大都市のほうがシビアになると考えられる。しかしそうならないのは、社会移動によって多くの若年人口が東京を中心とした大都市に流れているためと説明されるのである。

だがこうした見方は、まちがいではないとしても、少なくとも正確なものとはいえない。地

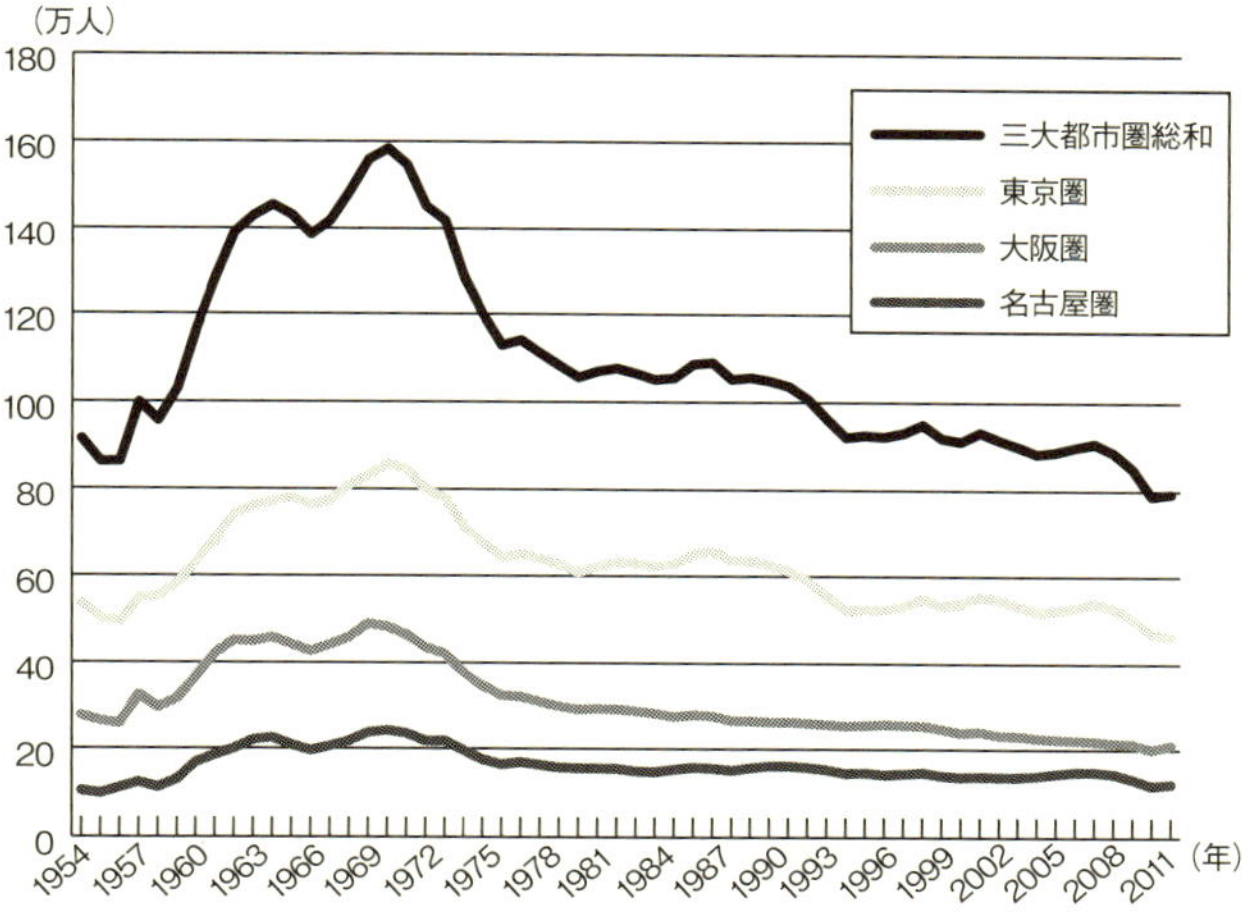

図13　転入総数：住民基本台帳人口移動報告

方からの人口流出が続いていることは事実としても、それが東京へと集中し、またその量が拡大しているといった現実はみいだしがたいためである。

逆にわたしたちの時代は、かつての「移動の時代」と較べるならば、人口流出を停止させた「定住の時代」を迎えつつあるとさえいえる。歴史を振り返れば、高度成長期には、「民族大移動」と呼ばれる大都市への移動が活発におこなわれた。**図13**がよく示すように、一九七〇年代初頭をピークに、最盛期には一六〇万人に迫る人口が毎年、三大都市圏に向けて流れ込んでいたのである。しかしその後、移動のトレンドは一挙に収束する。好景気の一九八〇年代には若干盛り上がりがみられるとはいえ、その後も右肩下がりの傾向は続き、現在では大都市への移動は年間八〇万人と、ピークの半分を割っている。この移動の減少は、男女ともにみられる。たとえば都道府県外への転出総数をみれば（図14）、移動の落ち込みは男性のほうが目立つとはいえ、数としては女性の転出は少ないままに留まり続けているのである。

加えて東京や大都市圏に人口流出が集中しているというイメージも正しいものではない。全国の移動のなかで三大都市圏や東京圏が目的地となる割合は高度成長期以後、むしろ低下している（図15）。その割合は、たしかに九〇年代半ば以降には若干の上昇もみられるが、しかし再び近年下降していることからも、それは景気の回復にもとづく波動的なものとみたほうが良く、少なくとも現段階では、東京や三大都市への人口移動が今後、拡大していくと断定する根拠はない。

こうして日本総体としてみれば、わたしたちの時代は、①移動する人びとが少なくなっただけではなく、②その移動が東京や大都市をかならずしも目指すものではなくなったことにおいて、二重の意味で移動が限定された時代といえる。こうした移動の傾向は、Y県においてもよく確認される。たとえば図16で県外に転出した人口をみると、一九七〇年の四万六一四人をピークに、現在ではその半分を割っており、さらにグラフには示していないが、移動が減少傾向にあることは男女ともに同じである。たしかに転出と転入の差引として計算できる総体としての転出超過の傾向は、九〇年代を除けば、解消されていない。しかしそれは転出が増えたのではなく、転入が減少しているためである。つまりY県を出る人口は減少しつつも、同時にY

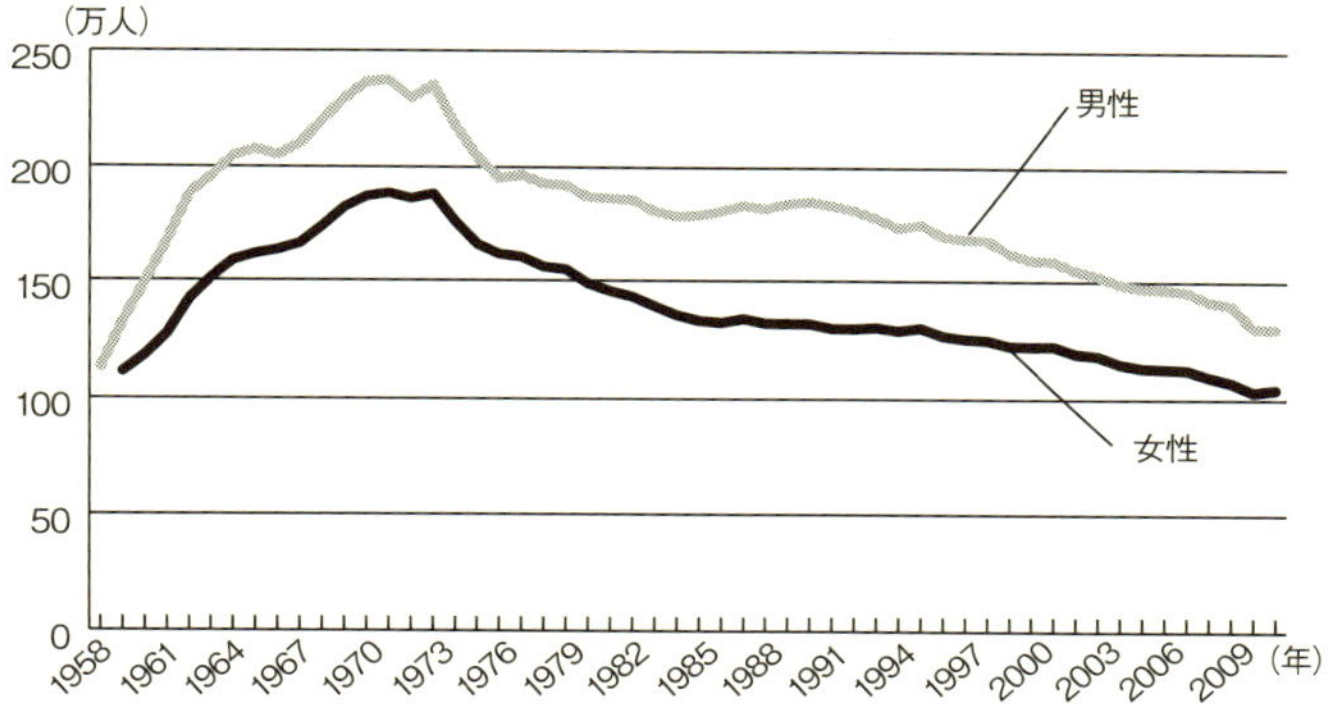

図 14　全国都道府県外、転出総数：住民基本台帳人口移動報告

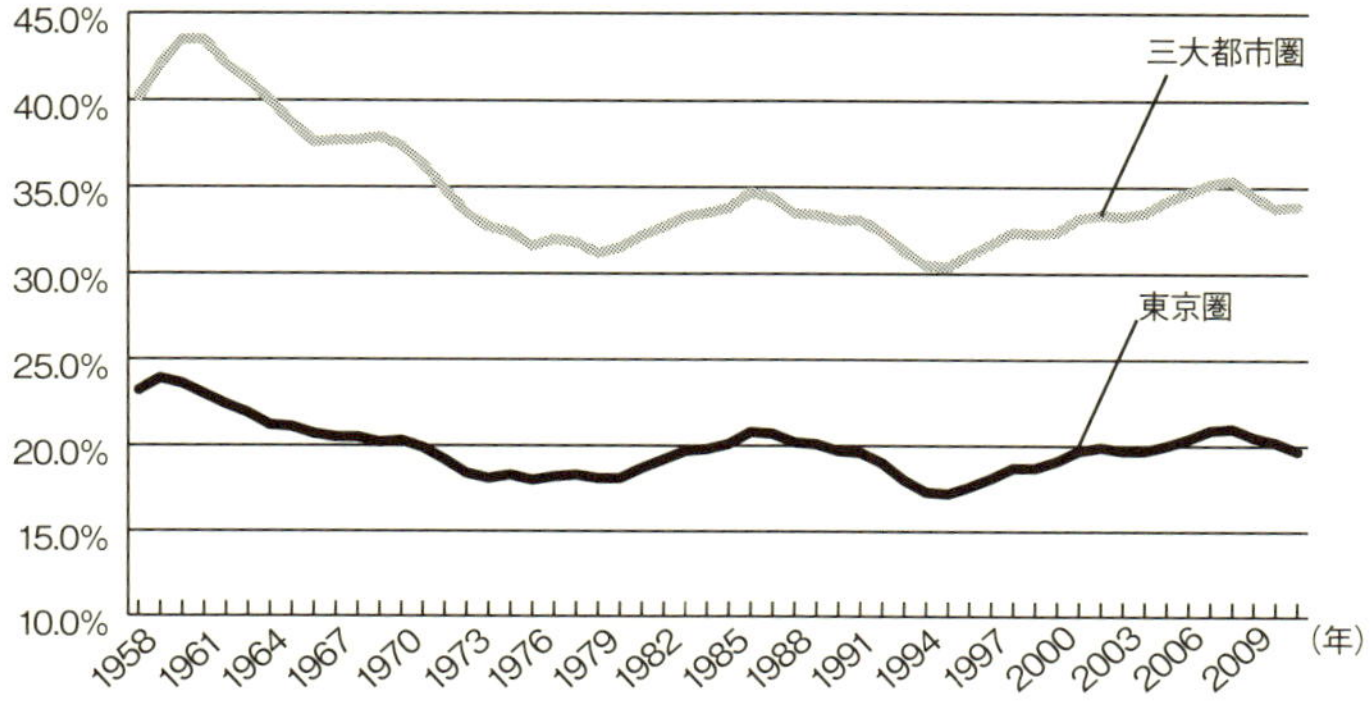

図 15　全国の転入総数に対する割合：住民基本台帳人口移動報告

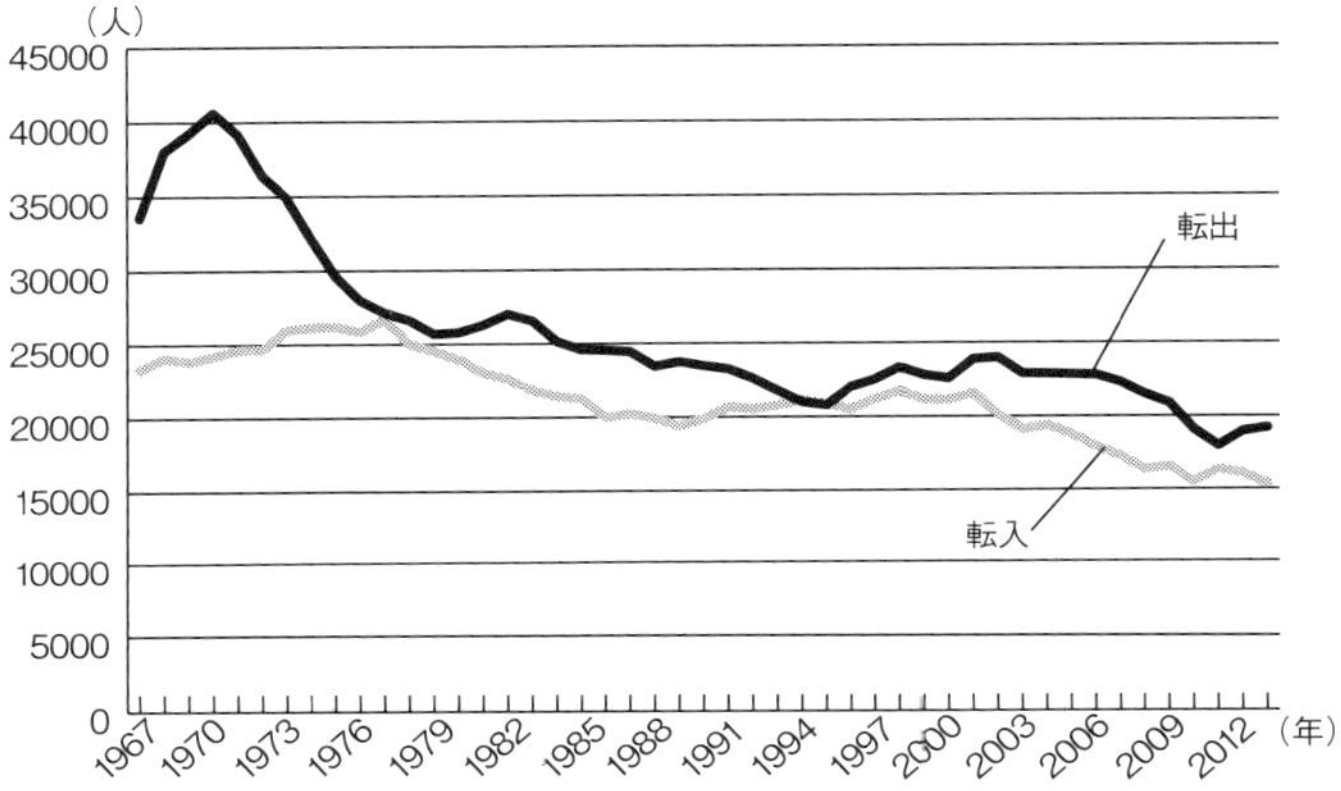

図 16　Y 県の転入・転出総数：山形県の人口と世帯数

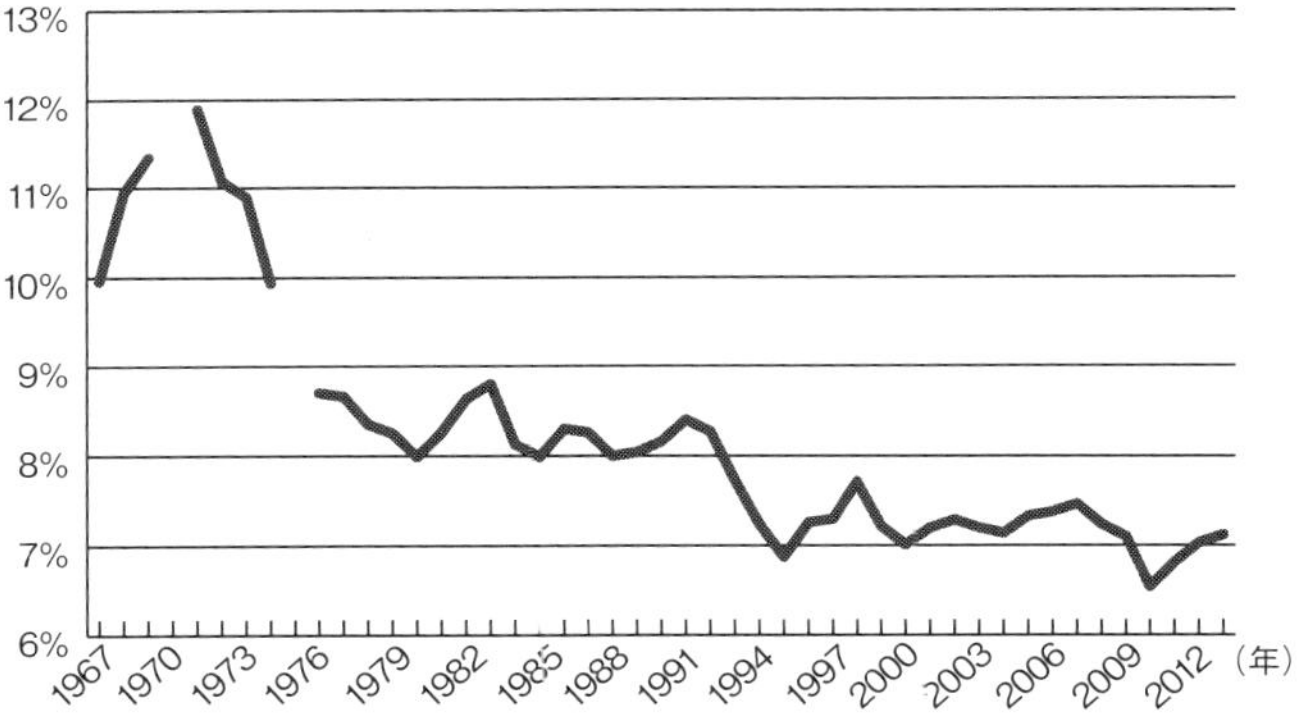

図 17　Y 県の県外転出率（15 歳から 24 歳）：ここでは仮に転出人口を前年度の同年齢層で除したものを移動率とみなしている：山形県の人口と世帯

県へ来る人口も減ることで、人口の社会減はなくなっていないのである。

ではなぜこうして地方を出入りする人口は、減少しているのだろうか。その原因は、まずはそもそも若年層人口が減ったためと想定される。日本では良かれ悪しかれ一般的には、一八歳と二〇代初頭での就学や就労を機会とした移動がもっとも活発化するのであり、たとえばY県でも高度成長期以後全体の移動率がせいぜい三%強に留まってきたのに対し、一五歳から二四歳の人びとの移動率は、その四倍近くで上下してきた。その若年層人口が少子化の影響で減少することで、現在、総体としての移動人口も減っているのである。

ただしそれは問題の一部にすぎない。若者にかぎっても移動は、実はかつてほどおこなわれていないためである。再びY県でみれば、図17のように、一五歳から二四歳までの人びとの移動率も減少している。高度成長期にはこの年代では、一二%の人びとが翌年にはY県を出ていた計算になるのに対して、現在ではその四割にあたる七%前後の人びとしか、次の年に県外に転居していないのである。

以上のように、たんに若者減だけのためではなく、その若者がそもそも移動をおこなわなくなったことで、社会的な移動は減少している。地方の人口減少を問題とするならば、この総体としての移動減こそ元凶と考えなければならない。全国的な転出の落ち込みは、移動の目的地としての大都市の役割がかぎられていることもあって、そのまま各地方への転入の減少として現れる。その結果、地方では大都市に較べ出生率が比較的高止まりしているにもかかわらず、人口減は解消されないのである。

だとすれば地方の人口減少を食い止めるためには、近年、国家的に力が入れられているように、地域の素晴らしさを教え、さらに地元の産業を活発にし、地域に留まることを勧めるだけでは充分ではない。転出を減らすことにそれが一定の効果を挙げたとしても、それは総体としてみれば、わずかな移動人口を各地域に囲い込むものに終わるしかない危険性が強いためである。

むしろ大切になるのは、移動を抑制することではなく、促進する施策ではないか。転出人口に匹敵する転入人口を呼び入れるために、全体としての移動を増大させること。そのために課題となるのは、個々人を移動というリスクをより強く取るライフスタイルへといかに誘導していくかである。現在、地元からなかなか出なくなっている人びとを今後、どうにかして他地域に出し、または招いていくことによって、人口が流動する社会をつくりだすことが大切になる。それによって地方相互の移動を大きくするばかりか、大都市に、また大都市から移動する人びとがかならずしも増大していないなかで、大都市と地方のつながりを増すことは、大都市からの移動を引き寄せる呼び水になる可能性も見込めるのである。

たしかにそれに成功したとしても、人口は回復されないかもしれない。たとえ社会増減が釣り合ったとしても、すでに高齢化を強めた地方では子供を産む若者の数が少なく、それゆえ今後、少なくとも半世紀ほどのあいだは人口減少の基調は止めがたいと考えられるからである。

その影響を少しでも減らすためには、婚外子の奨励や女性労働の安定化など、家族のあり方を真摯に見直す必要がある。

けれども逆にみれば、少子高齢化にもとづく人口減少が止めがたいものだからこそ、移動が高い水準で留まっていることが、地域にとってはいっそう重要になる。移動人口の増加は、少子高齢化で失われていく世代や考え方の多様性を、地域に補ってくれるほとんど唯一の手段となるからである。にもかかわらず、移動を抑制しようとすることは、地方に留まる人びとの寂しさを代償するものでしかないだろう。そもそも地方に昔から同じ人びとが滞留し続けるならば、あらたに流入しようとする人びとにとって生きづらく、またそれゆえ魅力のない社会がつくられかねない。そうではなく、総体としての移動を勇気づけ、いかに多様な人びとが行き来する場に地方を変えていくかが、その将来にとっては大切になるのである。

移動の代替

しかし少なくとも現状では、あいかわらず移動は停止に向かったまま、地方に定住人口が堆積しつつある。なぜそうなのかは複雑だが、その理由はかならずしも悪いものばかりではない。たとえばそのひとつとして、地方が都市を中心に豊かになったことの影響を否定できない。高度成長期に大都市を目指した移動がさかんになったのは、端的にいえば、ベビーブーマーたちが地方にいては、なかなか食いがたかったためである。戦後の農地改革や人口増加のあおりを受け、家を継げない者や、そもそも継ぐほどの家をもたない者が目立ち始めたのであり、そうした人びとが大都市に働き場を求めて続々と流れ込むことで、人口移動は加速した。

こうした移動の具体的な姿を知るために、見田宗介が「まなざしの地獄」のなかで描きだしたN・Nこと、永山則夫の生き様が参考になる（見田宗介『まなざしの地獄：尽きなく生きることの社会学』河出書房新社、二〇〇八年）。Y県と同じ東北地方の貧家で育った永山は、一九六五年に集団就職で東京に出る。しかしその後、職を定めることができず、盗んだピストルで一九六八年から一九六九年にかけて強盗をくりかえし四人を射殺したのである。

この犯罪者の姿を見田は、家郷を捨て大都会へと移動した若者たちの極端な事例として描き出す。永山は、大都市へ赴くことでそれまでの自分と決別し、「尽きなく」生きるという自己実現を試みる。つまり永山にとって、移動は豊かさや自己実現を達成する貴重な手段になったのであり、だからこそ上京後も挫折のたびに永山は東京を出て、また海外へ密航することを企てる。たしかに永山自身はそれに最終的には失敗し、結局は皮肉にも拘置所のなかに閉じ込められる。しかし大切なことは、こうした移動に人生をかける試みが、永山だけのものに留まらなかったことである。永山の試みは、同様に幸福を求めて村から大都市に赴く同時代の若者によって先行され、または引き継がれていったからである。

けれどもこうした永山の姿は、現在では特殊な事例になるしかない。後により詳しくみるが、一定の職をみつけ、それによって得た金で家を買い「普通」の生活をすることは、今では地方都市でもむずかしくはなくなっている。だからこそ大きくみれば、多くの人が集団就職で大都会に赴いた永山の時代とは異なり、大多数の人は地方都市を離れようとはせず、そこに滞留し続けているのである。

こうした地方都市の「豊かな」生活を可能にする重要な道具になっているのが、ひとつにこれまでみてきた自動車である。地方都市は鉄道から自動車へと主要な交通機関を切り替えるとともに、その内部での移動を激しいものにしている。地方都市が衰退しようとも、それを個人的に乗り越える手段を自動車は提供するのであり、実際、阿部真大（『地方にこもる若者たち：都会と田舎の間に出現した新しい社会』朝日新聞出版、二〇一三年）が、インタビュー調査によって確認したところによれば、自動車を利用しつつ近隣の消費環境を活用することで、「地方にこも」りつつ満足に暮らす人びとがかなりの規模で存在していた。

もちろんいまだ大都市にしかないものが、数多くあることも事実である。しかし自動車網の発達は、大都市への短期的な旅を容易にしたことでも、地方暮らしの意味を変えた。二〇一二年四月の金沢・富山発東京ディズニーランド行きバスが起こした事故を代表に、二〇一〇年代前半には長距離バスの事故が目立ったが、それは安価なバスを利用し、レジャーや観光、出張、就活のために手軽に東京に出る人びとが多数いることを浮き彫りにした。かつての長期に渡る大都市への移動は、そうしてバスや自家用車を用いた手軽で安い短期的な移動に取って替わられているのである。

その結果として、たとえば地方都市には「地元」に残り、昔からの仲間関係を大切なものとして生きる「マイルド・ヤンキー」と揶揄される若者が目立ち始めている。ときに車で大都市に出かける以外には、地方で大抵のものが揃うとうそぶき、「地元」に定住しながら、長期間知っている仲間を大切なものとして生きていくライフスタイルが、地方都市では一定の力を占め始めているのである。

その姿を、たとえば山内マリコは『ここは退屈迎えに来て』（幻冬舎、二〇一二年）という小説のなかでよく描き出している。著者の出身の富山をおそらく舞台にしたその連作小説のはじめで、東京から帰ってきた須賀は、ラーメン屋の壁に、「東京? Haha! ここは東京のない世界　おれはこの町を生きる　仲間たちとこの町を生きる　地元サイコー!」と書かれた「ポエム」をみつけ、嫌悪する。地方都市に足りないものを求め須賀は東京に出たからだが、しかしここで注意したいのは、須賀もまた結局は地方都市に戻り、生きる一人として、地元に密着した暮らしを完全には笑えないことである。誰もが長く見知っており、だからこそ複雑にもなる人間関係を無視しては、地方で仕事はできないのであり、それゆえ須賀も匿名で、「ここで楽しくやってたら最初からどこにも行ってねーよバーカ」といった「アンサー・ポエム」を残すぐらいでしか、憂さを晴らすことはできなかった。

以上のように、わたしたちの社会は、多くの人たちが移動を続けていた永山たちの時代とはあきらかに変わっている。自動車の普及を物理的には重要な条件として、地方にいてもそれなりに充実して働き、消費し、仲間たちと遊べる場がつくられている。そのカリカチュアされた姿が、仲間や家族との関係を何よりも大切にする「マイルド・ヤンキー」であり、または自然を「消費」する「ロハス族」であるといえよう。豊かになった地方を愛し、仲間を大事にするともに上下関係や縁やコネに縛られつつも、それなりに安定した暮らしを生きていると自分で語る人びとが、ソーシャルメディアの世界を中心として、たしかに目立ち始めているのである。

移動の階層化

とはいえ当事者の話を、そのまま信じるわけにもいかない。人びとはただみずから望んで、地方都市の安定した暮らしを享受しているわけではないためである。あるいはたとえ当事者がそう信じていたとしても、そうした意識を産みだす社会構造をあきらかにすることが、地方都市を「考える」ためにはより大切になる。

最大の問題は、人びとを地方都市から離脱させる移動が、現代社会ではますます階層化していることである。地方を出るにしろ、地方へ入るにしろ、近年、若年層を中心に移動が減っていることを確認したが、さらにこの移動は学歴によって分断されている。たとえば図18は学歴ごとの都道府県外への移動割合を示すが、そこから、①すべての者の移動率が減少しているとはいえ、②とくに大学大学院卒層と短大専門学校以下の層のあいだで差が激しいものになっていることが分かる。大学大学院が出た者が今なお比較的活発に移動しているのに対し、その他

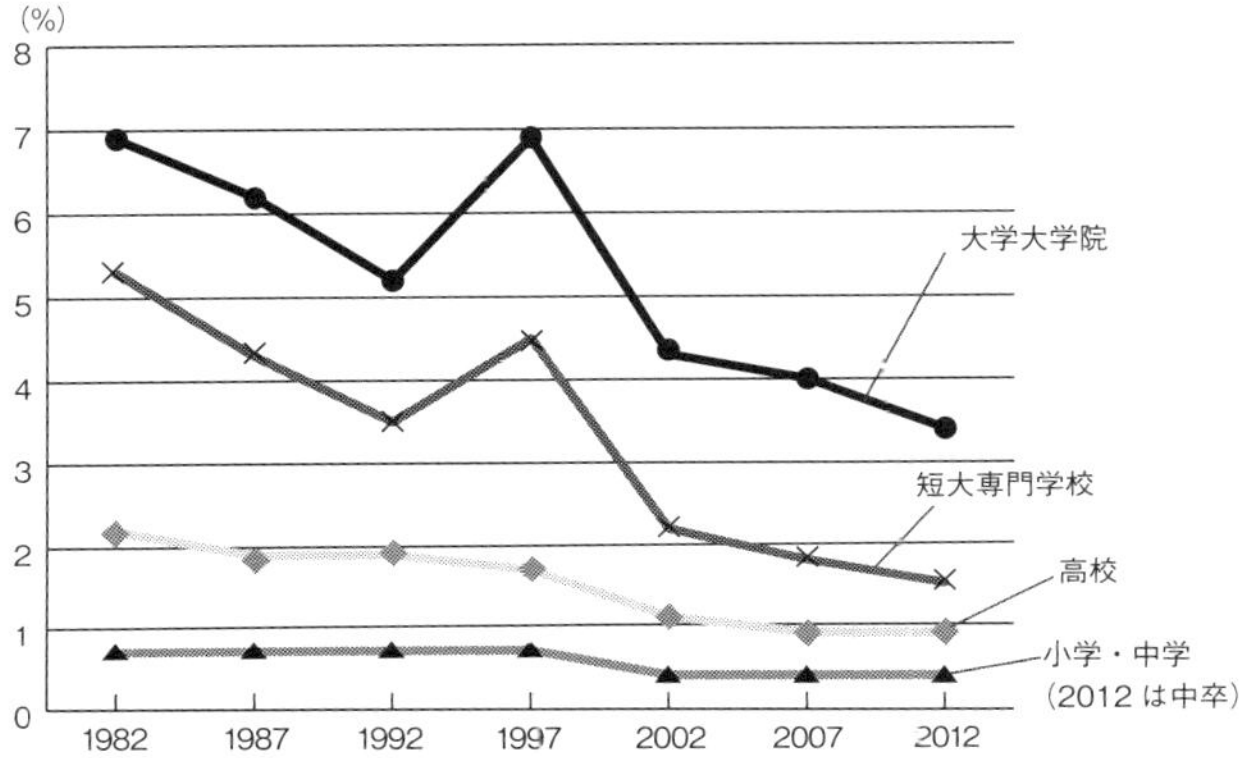

図18　学歴別の県外労働移動：石黒格・李永俊・杉浦裕晃・山口恵子『「東京」に出る若者たち：仕事・社会関係・地域間格差』ミネルヴァ書房、2012年に挙げられた数字を参照し、2012年に関しては、就業構造基本調査から補った。

の人がいっそう県外への移動をおこなわなくなることで、いわば移動の二極化が生じているのである。

ただしこのグラフは、全年齢を対象にしたものであり、移動率の高い学校を出てすぐの若者の移動行動だけを示すものではない。その移動をより具体的に掴むために、Y県の例を示す図19をみてみよう。そうすると、先にもみたように一五歳から二四歳までの移動率が総体として減少していることとは別に、一五歳から一九歳と、二〇歳から二四歳の移動率が異なる傾向を示していることが分かる。一九歳までの移動率が減少しているのは、高卒ですぐに地元を離れる人が少なくなったことを示していると考えられる。地元志向の就職が増えただけではない。Y県の高校卒業者が地元の大学に入る率は全国で三五位とたなし

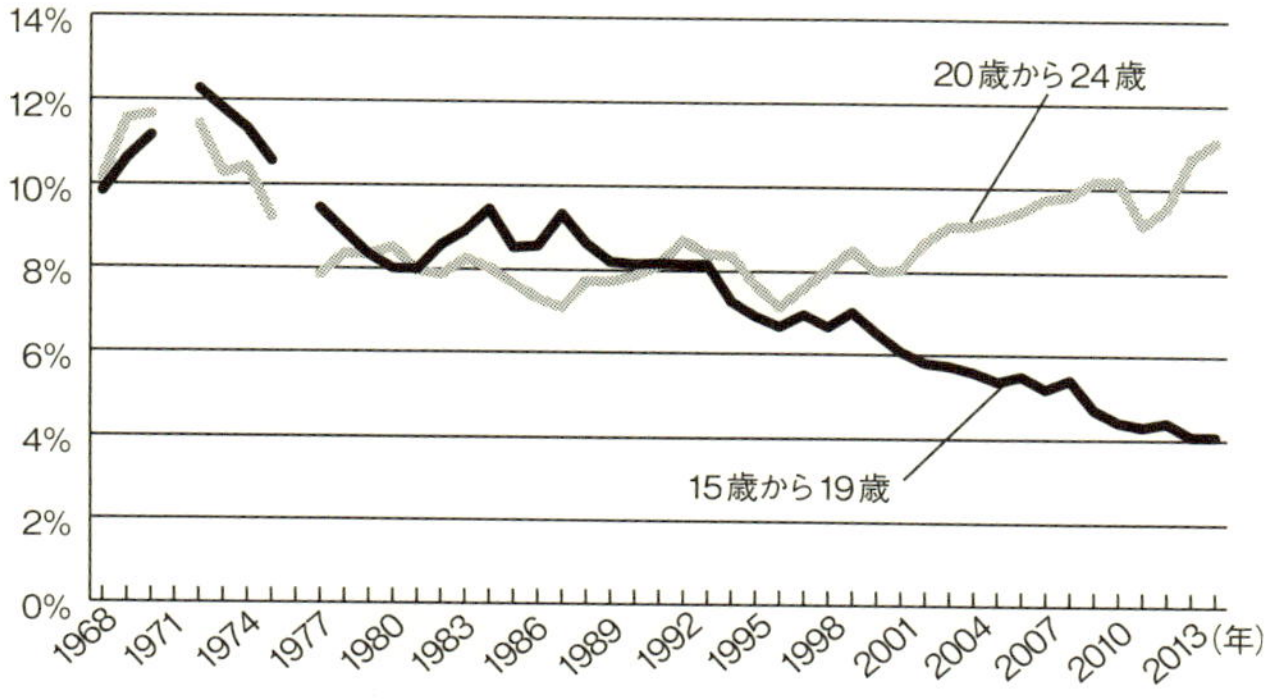

図19　Y県の県外転出率：ここでは仮に転出人口を前年度の同年齢層で除したものを移動率とみなしている：山形県の人口と世帯

かに低い（二〇一三年、一八・九％）が、しかしそもそも大学進学率が全国で三一番目に低い（二〇一三年、三七・九％）という意味で、特別高度な教育を受けようとして県外に出ようとする者はいまだ多くはないのである（リクルート進学総研「【都道府県別：東北】18歳人口・進学率・残留率の推移」http://souken.shingakunet.com/research/2014/08/18-210a.html）。

他方、二〇歳から二四歳で移動率が上昇、または少なくとも以前の水準に回復していることは、仕事で経験を積んだ人が地域を出て行くことに加え、越境入学者を含む地元の大学・短大の卒業生が、その後に多く県を離れることを表現していると考えられる。たとえば二〇一三年のY県の二〇歳から二四歳の総人口が約四万二〇〇〇人であるのに対し、同年の大学・短大の卒業者は三一〇〇人余りいたのであり、その多くの部分が県外に進学先、就職先を求めることで、その年代の移動率を少なくとも数％は引き上げているのである。

以上の意味で、近年の若年層の移動は、ますます学歴と強く関係するともに、十分な準備を経ておこなわれるものになっている。かつてのように、貧しさのため、または教育機会を求めて、高卒後すぐに多くの人びとが地方を出ることはまれになった。その代わりに、現在では学力や財産、または経験に恵まれた者が、それなりの努力や準備を経て初めて移動しているという意味で、移動はかぎられた者がおこなういわば貴重な「権利」になっているのである。

ではなぜこうした移動の「権利」化が進んでいるのか。その背景として、第一に先に触れた地方都市が「豊か」になっているという現実が大切になる。たしかに大都市と地方の賃金格差がなくなったわけではなく（橘木俊昭・浦川邦夫『日本の地域格差：東京一極集中型から八ヶ岳方式へ』日本評論社、二〇一二年）、また地方では情報産業やマスコミ関連職など高度な技能をもつ人を受け入れる職はいまだ少ない（独立行政法人労働政策研究・研修機構『都市雇用にかかる政策課題の相互連関に関する研究』二〇〇六年）。その意味で、大都市に出ることはいまだ若者にとって充分、合理的な行動といえるが、しかし地方都市が豊かになるなかで、そうした挑戦をおこなう者は少なくなる。快適な住居や自動車をもち、豊かに送られる地方の暮らしをわざわざ捨てて移動するというリスクをあえて取ることができる者は、そのための自信をもち、また一定の準備ができる学歴や資産をもった者にかぎられてくるのである。

第二に問題になるのは、移動先となる大都市、とくに東京の過密である。先に一般的な常識

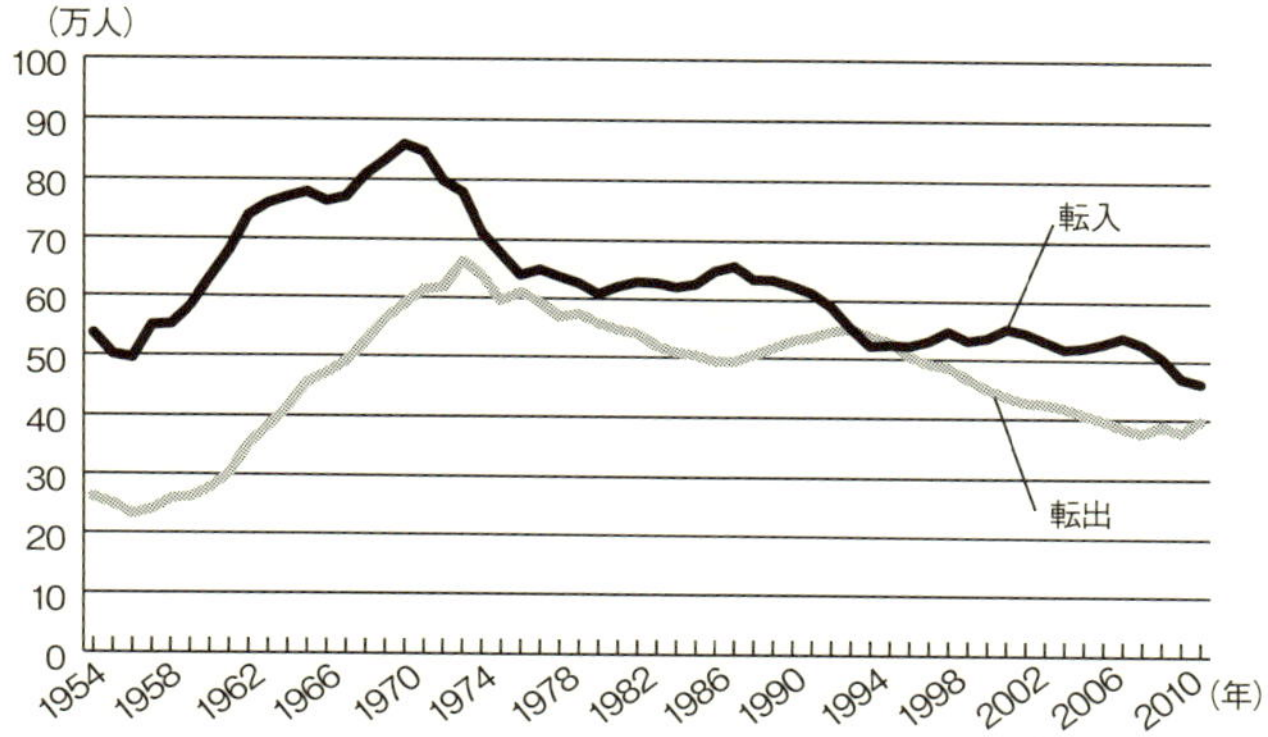

図20　東京圏への転入と転出：住民基本台帳人口移動報告

出生ブロックに留まる人の割合	北海道	東北	北関東	東京圏	中部・北陸	名古屋圏	大阪圏	京阪周辺	中国	四国	九州・沖縄
（%）	81.1	58	81.3	90.4	81.6	89.9	79.9	80.4	79.7	75.8	80.8

表1　出生ブロックに留まる人の割合（2011年）：第7回人口移動調査

とは異なり、東京への人口移動が増加しているわけではないことをたしかにみた。それでもなお総体としての東京の人口拡大が止まらないのは、それ以上に東京からの転出が減少しているからである。図20からは、高度成長が終わりを迎えた一九七〇年には東京圏を出る者と、そこに入る者がほぼ釣り合ったのに対し、その後、転出数は減少に向かい、とくに一九七〇年代後半と、一九九〇年代後半以降において、その傾向が激しくなったことが読み取れる。つまり高度成長期以後、東京は多くの人びとを集めながらも、そこから人を出すことは少ないいわば蟻地獄としての傾向をさらに強めたのであり、そのことはある地域に産まれた人が現在どれほどその土地に残っているかを示す**表1**の調査にもよく表現されている。震災の影響で福島・宮城・岩手が省かれている東北は例外としても、名古屋を除く他の地域で二割前後の人びとが故郷の地域を出て現在暮らしているのに対して、東京は九〇％以上の出生者がいまだ同地域で生活しているのである。

その意味で前節でみたように、地域にこもっていることが非難されるとすれば、まず東京圏の住民こそ批判の対象とされるべきである。他地域の半分の人びとしか東京生まれの者はそこを出ることができていない。もちろん生まれた場所で生き死ぬことを「幸せ」とみる見方があってもよい。ただしその「幸せ」には、いくつかの欠点も伴うことも忘れてはならない。まず再挑戦の機会が奪われることが問題になる。永山則夫がそう希求していたように、移動はそれまでの人間関係を変え、人生をやり直し、異なる経験を積むための格好の機会になる。しかし東京に産まれ、また暮らし始めた者は、移動によって人生を変え経験を積む機会を奪われたまま、生き、そして死ぬことを拘束されているのである。

さらにその結果として、東京で現在、競争がますます厳しいものになっていることが問題になる。かつてサスキア・サッセン（伊豫谷登士翁監訳『グローバル・シティ：ニューヨーク・ロンドン・東京から世界を読む』筑摩書房、二〇〇八年）は、東京を含め、ニューヨークやロンドンなどの都市では、グローバルな企業に勤める者たちと、その人びとに仕えサービス的な職業に就く者への階層の二極化が進んでいると分析していた。東京の賃金は地方に較べ高く、また高層マンションなど「快適」な暮らしの装置がそこに数多く集まっていることも事実である。しかし住環境の物価の高さもあって、東京で「快適」な暮らしを享受できる者はあくまでかぎられている。にもかかわらず逃げ場や再出発の機会を失った「蟻地獄」のなかで、多くの人びとが、サービス業的階層に陥ることを逃れるために、小学生や中学生の頃から敗者復活もむずかしい競争を強いられているのである。

地方の「豊かさ」に加え、こうした東京の閉塞が、地方からの移動を押しとどめるもうひとつの足かせになる。転出人口をますます少なくした大都市のなかでは、多くの人びとが世代にわたり富を築きつつ暮らしている。そうした人びとに対抗し、自力でコネをつくり、住む場所を確保して生きていくという不利な競争に怖気づくことなく、東京を目指すことのできる者は、学歴や元手となる財産、特殊な才能をもつと信じる者に当然かぎられてくるのである。

以上の結果として、地方都市には「移動する人生」と「移動しない人生」を隔てる特殊な社会が築かれつつあるといえよう。移動はかぎられた強者の権利となっているのであり、そうして移動する権利を奪われ、地方に留まる多くの人びとは、手もちの資産や人間関係で人生を何とかやりくりしていかなければならない。「マイルド・ヤンキー」と呼ばれるライフスタイルはその成功例としてあるという意味で、それらの人びとの姿を無邪気に笑うことはできない。地方であれ東京でも現代社会ではますます大多数の人びとが移動する「権利」をはく奪されているのであり、そうした現実を覆い隠すカリカチュアされた他者として「マイルド・ヤンキー」は、いわばわたしたちの代わりに笑われているのである。

＊　＊　＊

こうして移動を「停止」させつつある現代社会の困難な姿を具体的に知るためには、故郷を出て犯罪に手を染めることで、近年話題になった犯罪者たちの姿をみるとよい。

たとえば大澤真幸は、先に見田宗介が取り上げていた永山則夫の犯罪と、二〇〇八年に加藤智大が起こした秋葉原の無差別殺人事件を対照して、時代のちがいを探っている（「解説」見田宗介『まなざしの地獄：尽きなく生きることの社会学』河出書房新社、二〇〇八年）。自分の「生まれ」を問い続ける他者のまなざしに追い詰められた永山に対し、ネットの掲示板でさえ自分をみつめるまなざしの不足に悩み犯行に走る加藤というちがいが、そこでは強調されている。

しかしそうした時代的な社会関係のちがい以上に、ここで注目したいのは、より単純に永山と加藤の移動の軌跡のちがいである。永山と同じく青森を出た加藤は、しかし東京を目指すことなく仙台や埼玉、つくばや静岡を広域的に転々とする。彼の人生と東京が深く交差するのは最後の犯罪の局面においてにすぎなかった。東京を目的地としないこうした加藤の軌跡は、先にみたように、①移動が減るとともに、②東京を中心とするものでもなくなった現代の移動の社会的変化をよく表現している。加藤の移動の軌跡は、一方でわざわざ東京に行かなくとも充分暮らせる地方都市の「豊かさ」を照らし出す。工場の職につくことで、加藤は少なくとも貧困に陥ることなく暮らすことができた。しかし同時に加藤はより賃金の高い職につく、または高等教育を受ける機会をあらかじめ挫かれていたために、東京に行くことなく、地方都市の派遣的な仕事を転々とするしかなかったともいえる。

ただし移動ということならば、永山の事件と比較する対象として、加藤の事件以上に、それと同時代に注目を集めた別の二人の女性の事件のほうがより興味深い。その一人、木嶋佳苗は北海道から上京し二〇〇〇年代後半に男たちから金を搾取しつつ、それがバレそうになると殺人をくりかえすという生活を送っていった。また別の一人、新潟から上京した三橋歌織は、外資系の会社に勤める夫を二〇〇六年に殺害し、新宿や町田にバラバラに遺棄して逮捕される。

それらの事件が永山の事件と対照して興味深いのは、第一に彼女たちが永山と同様に北日本（北海道と新潟）から上京しながら、その移動の必然性がかならずしも社会的には納得しがたいことである。極貧の家に育ち生きていくためには上京せざるをえなかった永山に対して、木嶋佳苗や三橋歌織はそれぞれ裕福といえる地方の家に育ち、その意味では地方から出る必要はかならずしもなかったようにみえる。実際、集団就職した永山に対し、総体としての若年層の移動率が以前より低く、さらに女性の移動が少なくなっている現実のなかで、彼女たちの友人の多くは就職や地元の大学への進学を選び、地方に留まっているのである（佐野眞一『別海から来た女：木嶋佳苗　悪魔祓いの百日裁判』講談社、二〇一二年、橘由歩『セレブ・モンスター：夫バラバラ殺人犯・三橋歌織の事件に見る、反省しない犯罪者』河出書房新社、二〇一一年）。

にもかかわらず彼女たちが東京を目指したのは、そこで競争を勝ち抜き、地元以上の暮らしをするという自信と野心を秘めていたからといえる。しかしそれは容易には、達成されなかった。まず東京には、同様に自信をもった若者が集まり、過酷な競争をくりひろげているためである。実際、高卒で働こうとした木嶋佳苗のみならず、東京の有名女子大に入り卒業した三橋歌織も、ついに正社員として安定した職にはつけなかった。それ加えて、彼女たちが行政書士や社長の娘として、地方でそれなりに裕福な暮らしをしていたことが問題になる。わざわざ東京に出て苦労するならば、少なくとも地方と同様の「快適」な暮らしを求めることは当たり前かもしれないが、しかしそのためには東京では比較にならないコストがかかるのである。

だからこそ第二に彼女たちが犯した犯罪の、永山の事件との性質のちがいが目につく。彼女たちが満足できる暮らしを実現するためには、永山のように単発的な窃盗や殺人をくりかえすだけでは足りなかった。彼女たちはそれゆえ、まず風俗で継続的に金を稼ごうとするが、しかしそこでは特段の成功をおさめることはできなかった。近年では風俗産業でも競争が厳しくなることで、通常の人では満足に稼ぐことさえむずかしいといわれている（中村淳彦『日本の風俗嬢』新潮社、二〇一四年）。実際、二人は早々に風俗から足を洗った後、一方は高齢者を渡り歩き金を搾取しては殺す生活を選ぶ。また他方はまず固定した愛人契約をむすぶとともに、その後はようやく捕まえた高給取りの夫の妻の座に、ＤＶを被りながらもしがみつく生活に舵を切っていくのである。

こうした二つの特徴において、永山と彼女たちを分けるのは、その個人的な性向以上に、永山の事件が「移動の時代」におこなわれたのに対し、木嶋や三橋の事件がそれが終わった後の「定住の時代」に発生したという時代状況のちがいだったようにみえてくる。永山は地方に安定して暮らす職をみつけることができず、大都市へ移動するしかなかった。そのなかで永山は犯罪をおこなうが、しかしそうした生活の困難は永山の多くの同輩たちにとっても同じだったのであり、その意味で永山は社会から「疎外」されていたとしても、時代そのものからは「疎外」されてはいなかったといえる。

それに対して、多くの人が留まる地方を捨てたという意味で、木嶋や三橋の孤独の影はより深い。彼女たちは、富裕に暮らすこともできたはずの地元を飛び出したという意味では特殊な移動者だったのであり、彼女たちの犯罪に、いわば意志の強さが感じられるのもそのためである。永山は、貧困を産みだす社会の構造的問題として自分の犯罪をのちに「反省」し、それを表現する作家とさえなっていく。それに対し、彼女たちは事件発覚後、明確な反省の意志をいまだみせていないが、そのひとつの理由は、彼女たちの犯罪が、「移動の時代」が終わったにもかかわらず、地方を飛び出し「尽きなく」生きる挑戦のなかでおこなわれた、あくまで自覚的なものだったからと思われる。その犯罪は、東京で「成功」を目指し実行された彼女たちの数々の冒険と同じく、時代から「疎外」された特殊事例に留まり、それゆえその内面を打ち明け吐露できる同時代の集団を少なくとも主観的には見出していないのである。

もちろん彼女たちの犯罪は、東京という閉域のなかで同様に「尽きなく」生きようとしていた他者の殺害に終わったという意味では、許されるべきものではない。ただしそれでは彼女たちのように特殊な能力や財産をもたない者が、地方を出て暮らしを変えることを目指した時、他に何ができたのかは気にかかる。彼女たちはある意味では特殊な才能をもった女性として、高齢者や裕福になるはずの青年を捕まえ、一時ではあれ富裕な暮らしを送ることができた。しかしでは永山のような青年が今東京へ出て地元以上の生活を送ろうとした時、一体、何ができるのだろうか。脱法ドラッグを売ることや、ユーチューバーになることなどを除けば、その選択肢は多くはみつからない。だからこそ今では多くの者が、自分の生まれた境遇をあたかも望んだものであるかのように受け入れつつ、地元に留まり続けているのである。

第3章　地方都市に招く、地方都市で従う。

1　メディアのまなざし

情報流通の拡大

しかし移動の停止は、もちろん悪いことばかりではない。「定住の時代」は、一方ではどこでも「豊かな」消費環境や居住環境が整い、わざわざ大都市へ移動する必要が少なくなっていることを意味している。戦後の政治家がしばしば夢みた「国土の均衡ある発展」がまがりなりにも実現されているわけだが、それを支えているのが、ひとつには膨大な情報の流通である。現代社会では大量の情報が溢れ、どこでもそれに接することが容易になっている。その反面として、人が実際に移動する意味はたしかに減少しているようにみえるのである。

たとえば個人的な話をすれば、かつて筆者が一九八〇年代に本州の西の端の地方都市に暮らしているときに、もっとももどかしさを感じたのは情報の制約だった。視聴可能なテレビやラジオの局はかぎられ、本屋に並ぶ書籍も少なかった。そうして地方都市では大衆的にパッケージ化された情報しか容易には接することができなかったのであり、それも多くの場合は遅れていた。こうした情報の不足は、地方都市を出ようとする充分な動機になったのである。

それはY市でも同じである。たしかにY県では戦後、メディア普及率が急上昇し、一九五六年にはラジオの普及率は七七・四％に達し、東北一位を記録している。またテレビ普及率も一九六九年で九三・五％と東北一位、全国で一四位になるように、情報流通の面でけっして遅れていたわけではなかった（『山形市史　現代編』一九八一年）。

しかしこの情報の流通を少数の人びとに長らく委ねていたことで、Y県は有名でもある。Y県は世帯あたりの新聞購読数は、二〇一四年で一・〇六部と福井、奈良県に続き全国でもトップクラスにあるが（日本新聞協会）、そのうち今なお地元紙のY新聞は、二〇万部以上、五一・二％のシェアを誇り、他紙を圧倒している（http://yamagata-np.jp/ad/medium_document.html）。さらにかつてはこのY新聞が、Y県に二局しかなかった民放TV局やラジオを経済的、人脈的に支配するとともに、ホテルや交通機関もグループの傘下に収めていた。真偽はともあれ、それによって地元の政治を支配し、流通する情報の質や量を制約しているという噂も絶えなかったのである。

ただし現在では、その独占力も緩んでいる。あらたなFM局やTV局の開設、さらに二〇〇五年に行政指導によって系列関係が形式的には解消されたことに加え、そもそも一般的に新聞やテレビの影響力が揺らいでいることが問題になる。全国的にみれば、新聞は全体では一九九七年をピークとして発行部数を減らし、またテレビの視聴率も、二〇〇〇年代にはなだらかに下降している（ガベージニュース、http://www.garbagenews.net/archives/1885417.html,http://www.garbagenews.net/archives/2020115.html）。高齢者の多いY県ではさほど危機感は目立たないとはいえ、その高齢者さえ減り始めることで、いずれその波がY県にも押し寄せてくることは、想像にかたくない。

ではなぜ新聞やテレビが凋落したかといえば、その原因はさまざまに考えられるが、なかでも携帯電話、さらにネットを通した情報サービスの普及を無視できない。たとえばＹ市では移動電話通信料の支出が目立ち、二〇一四年で年間一人当たり四万六九四円と、都道府県庁所在地のなかでも九位に上っている。だが大小の差はあれ、情報の消費のために多額の費用がかけられていることは、日本どこでも同じである。実際、移動電話通信料のほとんどを占める通信費が、消費者が自由に選ぶ選択的な消費支出のなかでは、もっともまんべんなく全国で支払われているといわれるのである（九州経済調査協会『地域浮沈の分水嶺：拡大する地域格差と九州経済九州経済白書』九州経済調査協会、二〇〇八年）。

つまり階層や地域を越え、携帯電話は活発に用いられているのだが、この携帯電話は今では通話のためだけではなく、ハンディな情報端末として活用されている。それを使ってわたしたちはどこにいても情報の海にアクセスし、コンテンツを享受できるのであり、そうして地域に縛られず、世界中の情報を消費できる環境がますます発達している。こうした情報環境の変化がこれまで地元に密着して発達してきた新聞やテレビに接する時間や機会、また関心を多かれ少なかれ、奪い始めていることで、構造的にそれら旧メディアの凋落がみられるのである。

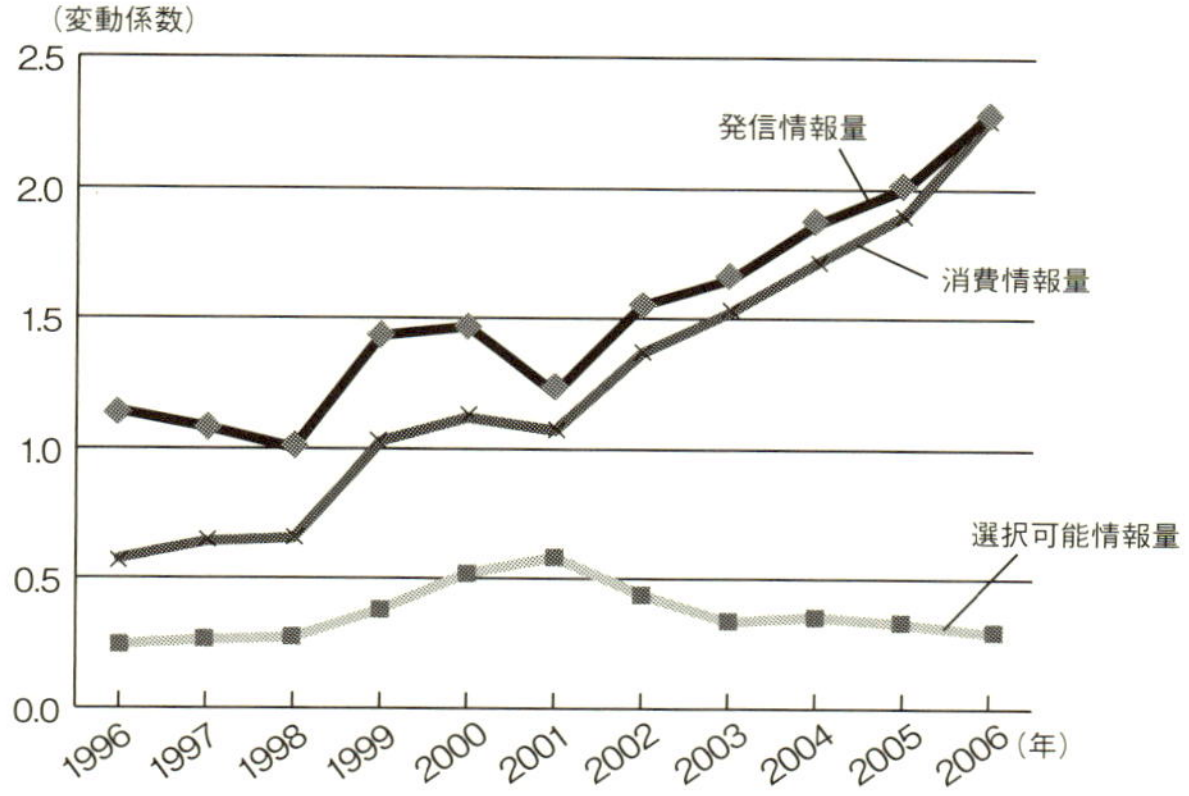

図21　一人あたり電気通信系情報流通量の地域間格差：平成18年度情報流通センサス報告書より作成

『あまちゃん』の魅力

わたしたちはこうして大都市と地方にかかわらず、今では安くはないお金を払い続け膨大な情報を消費しているのであり、それが移動に対する切実な必要性を減らしている。ただしそのことを過大評価してはならない。地方都市で選択できる情報量が増えていることは事実だが、それによってどこまでこれまでの情報の生産と消費の環境が変えられたかについては、慎重に考えてみなければならないからである。

たとえばたしかに統計的には、ネットを中心とするメディアの普及が、地方で摂取可能な情報量を増やしていることが確認される。しかし、その情報が実際にどれほど受け取られているかは、心もとない。実際、**図21**は発信される情報だけではなく、電気通信系（ネットや放送等）での消費される情報量の地域格差を示したものである。変動係数が高いほど地域間の格差が大きいことを示すのだが、そこから地域で潜在的に接触可能な情報量（「選択可能情報量」）の格差が少ないにもかかわらず、実際に消費される情報量（「消費情報量」）には差があり、さらに発信される情報（「発信情報量」）でも地域差がますます大きくなっていることが読み取れる。つまり地方では、潜在的には選択可能な情報が急増しているにもかかわらず、現実には情報はあまり摂取されておらず、同時に情報発信も少ないままに留まっているのである。

これは基本的にはネットの普及に応じて接触可能な情報が急増している一方で、マスコミや、さらにブロガー等の情報発信者が大都市に留まり続けていることを表現していると考えられる。情報の「生産」は、膨大な情報を選択的に受け取り、組み替えていくという「消費」の過程と切り離せない。バブル以後の地方都市の景気の停滞のなかで、そうした情報の莫大な消費とスクリーニングをおこなう情報産業、または金融業や製造業の支店・本部がますます地方から引き上げられ大都市へと集中していったのであり、だからこそ地方都市では、情報摂取の機会は増大しているにもかかわらず、実際には情報の消費は進んでいない。さらに情報生産が少ないことからみて、情報が受け入れられる場合にも、その多くがあらたなものを産みにくい、大都市でパッケージ化された情報である可能性が高いといえる。

こうして統計的にみれば、地方都市はますます情報の発信と消費において中央への依存を強めているのだが、その具体的な状況を照らしだすのが、二〇一三年に放送されたＮＨＫの朝ドラの『あまちゃん』である。『あまちゃん』は、岩手県の三陸海岸沿いに存在するとされる架空の北三陸市を舞台とし、宮藤官九郎のけれんみ溢れる脚本や魅力的な俳優陣で魅力を集めた。とはいえその物語には、不思議なところがいくつかある。なぜ敏腕のプロヂューサーである太巻は突然良い人になったのか。また往年の名歌手鈴鹿ひろ美はなぜ天野アキにあれほど親身になるのか。さらには、そこに描かれる震災からは、どうして放射能の問題がほとんど省かれているのか。

なかでも物語の根幹にかかわる謎は、なぜ天野アキが、岩手から再び東京に戻るのかである。物語の主人公天野アキは、東京で地味な高校生活を送っていたが、母の生まれ故郷の三陸で祖母の生き方に触れるにつれ、自信を取り戻し、海女になることを決意する。しかしその決意は物語の途中でうやむやになる。彼女は突然東京に戻り、それと同時に、話は在京の芸能界を中心とするものに変わるのである。

では天野アキは、なぜ東京に戻ったのか。端的に答えれば、それはもちろんアイドルになるためだが、ただしそれだけでは、アイドルをがむしゃらに目指していた同級生の足立ユイとは異なり、芸能界に憧れをもたなかったアキが、あえて東京に戻る理由はあきらかではない。たしかに昔アイドルになろうとした母親の天野春子との因縁がひとつの理由として提示されるが、だからこそ逆に母とはちがい、地元に留まり海女を勤める傍ら歌うという道も考えられたはずなのである。

その意味で、答えはより現実的かつ構造的なものといえる。アイドルになるためには東京に行かなければならないことが、物語では当然視されているとともに、さらにそうしてマスコミのなかで輝くアイドルにアキがならなければ、物語が「面白く」ならないことが暗黙の了解とされている。アキはメディアの光りに照らされて、初めてアイドルとなり、それによって物語を最後までけん引する特別の存在になるとみられるのであり、そうして物語の内外の人びとを引きつける主人公であり続けるために、アキは東京に舞い戻るのである。

とはいえ、それで本当に話が面白くなったかは、別問題である。そもそも脚本を担当した宮藤官九郎は、『木更津キャッツアイ』（二〇〇二）や『池袋ウエストゲートパーク』（二〇〇〇）など「地元」に留まる青年たちのだらしない日常を描くことで人気を集めた脚本家である。しかし、そうしたある意味では現代的な物語の魅力は、上京を通した成長物語――いわば永山則夫的な――へと途中で変わる『あまちゃん』では、薄められている。

こうした『あまちゃん』の問題は、その視聴率からも確認される。『あまちゃん』は、近年の朝ドラのなかでは特別の人気を呼んだ作品としばしばみなされているが、視聴率でみると、そうとはいえない。先行する『梅ちゃん先生』（平均視聴率一四・五％）や、後続の『ごちそうさん』（平均視聴率一五・六％）などと比べれば、『あまちゃん』の平均視聴率は一四・二％と、むしろ近年の朝ドラのなかで一番低迷していたのである。

その理由として、たとえば『あまちゃん』のＢＳ視聴率が高かったことが挙げられている

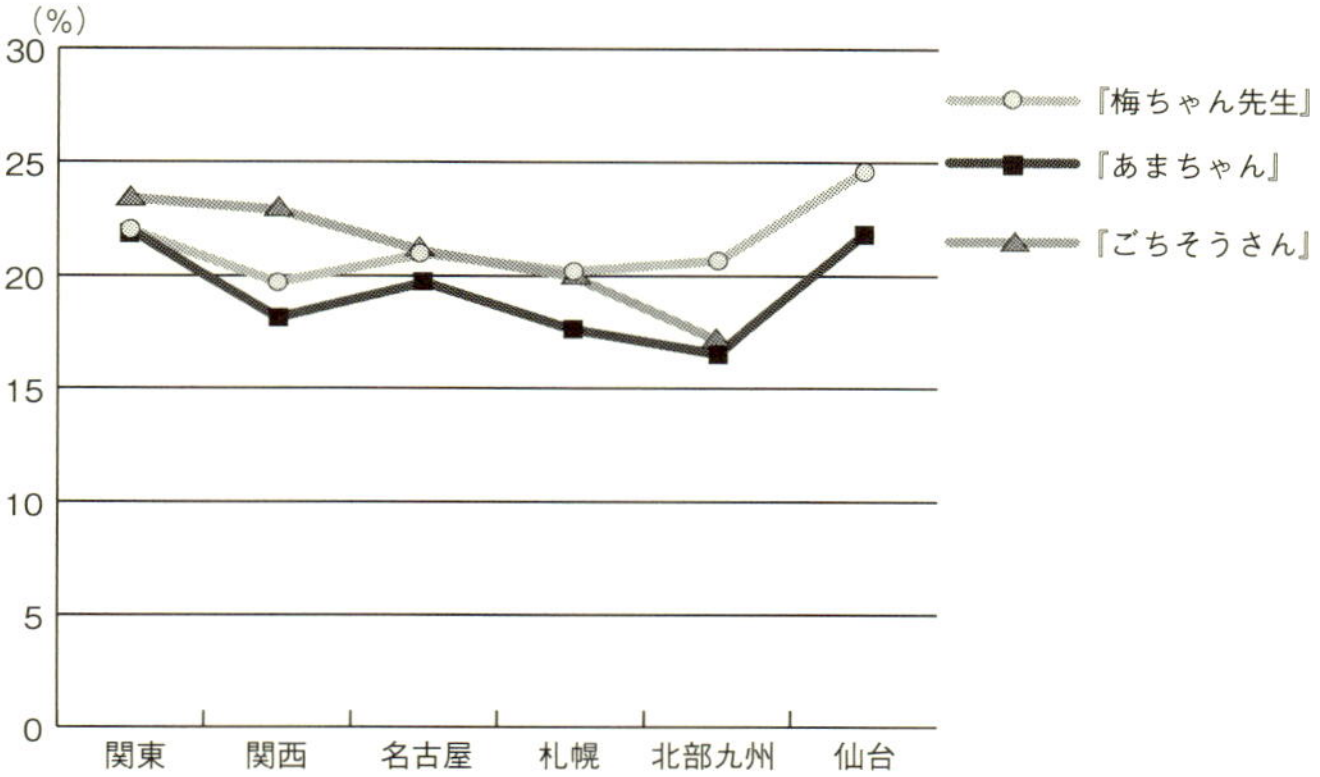

図22　朝ドラの地域別平均視聴率：新聞上の情報を集めた2chサイト上のまとめから作成

が（齋藤建作、二瓶亙、関口聰、三矢惠子「朝ドラ『あまちゃん』はどうみられたか」『放送研究と調査』二〇一四年三月号）、それはわずかな差にすぎず、それ以上に、『あまちゃん』の人気が東京に偏っていたという単純な事実が注目される。あくまで新聞発表を収集したネットの私的な記録に基づくものだが、少なくとも図22からは、『あまちゃん』は、『梅ちゃん先生』や『ごちそうさん』に関東の視聴率ではほぼ匹敵しているのに対し、地方ではどこでも視聴率が劣っていたことが浮かび上がるのである。

そうして地方部で『あまちゃん』があまり受け入れられなかった原因は、まず単純にそれが高齢者の関心を呼ばなかったためと考えられる。図23のように、年齢別にみれば、『あまちゃん』が他の二作に視聴率で勝っているのは、七歳から一二歳、二〇代、五〇代の男性におい

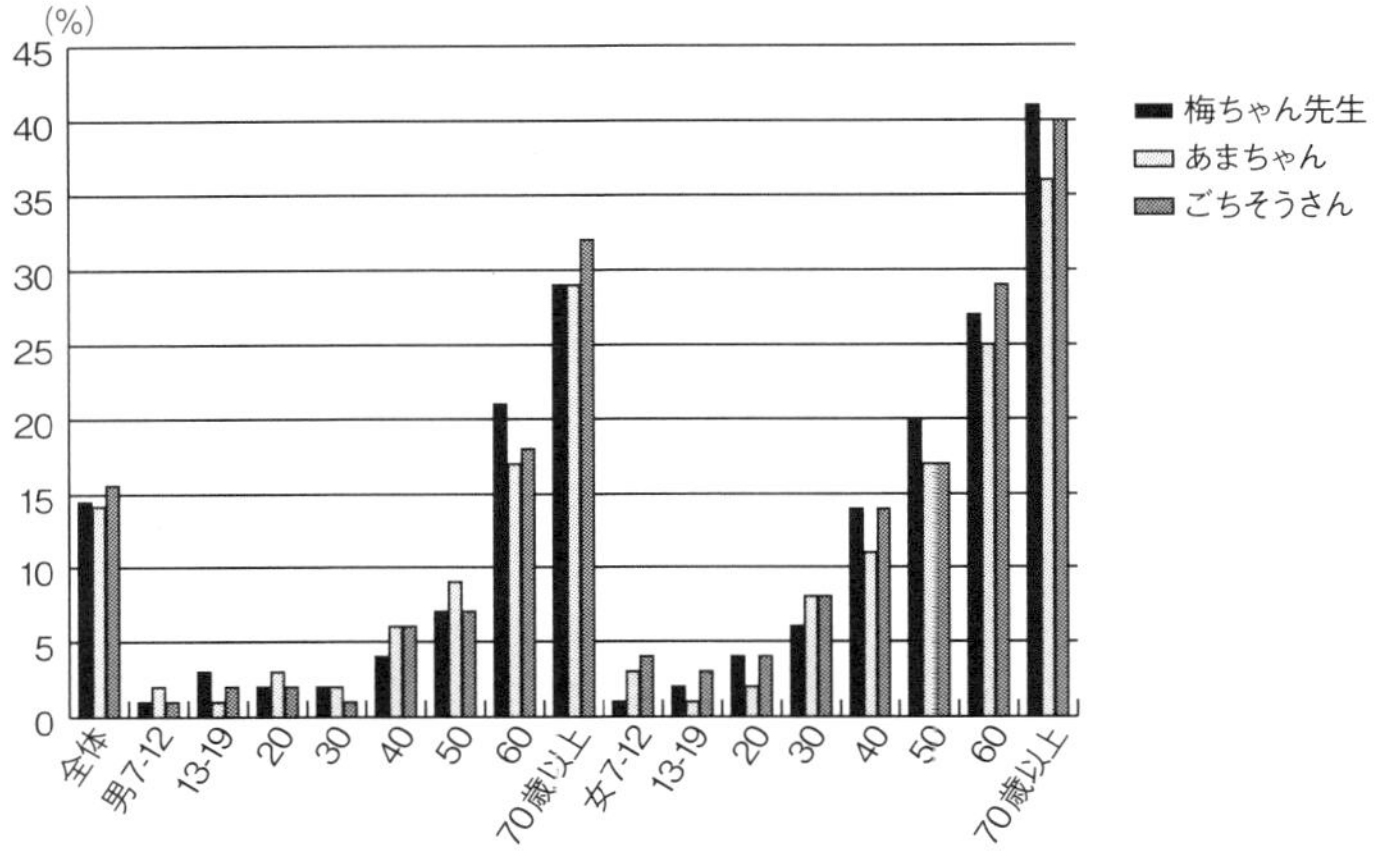

図 23　朝ドラの男女年齢別平均視聴率：個人視聴率調査（NHK 放送文化研究所）
http://www.nhk.or.jp/bunken/yoron/rating/

てにすぎない。逆に朝ドラの視聴率がそもそも高い女性高齢者で、『あまちゃん』は惨敗しているのであり、こうして高齢者層に受けが悪かったことで、それらの人びとが多く住む地方での視聴率が伸び悩み、それが全体の平均視聴率の足を引っ張ったといった構図が想定されるのである。

　ではなぜ『あまちゃん』は高齢者に受け入れなかったのかといえば、その原因のひとつは、それが八〇年代のアイドル文化を物語の主題にしていたことにあるといえよう。それによって『あまちゃん』は、若年、中年の男性層の関心を引き、また彼らが相対的にメディアや実社会で力をもつことで大きな話題になった。しかし逆に朝ドラの消費者の中心になる地方の女性高齢者には馴染みの薄いテーマとして、総体としての視聴率は低いままに留まったのである。

さらにそれとも関連し、よりマクロにみれば、アイドル文化を取り上げたことを一因として東京中心的な物語になったことも、『あまちゃん』が地方部で惨敗した理由として見逃せない。在京のメディアがつくりだしたムーブメントとしてあった八〇年代アイドル文化を描くかぎりで、地方はなおざりにされざるをえない。実際、『あまちゃん』も地方を詳しく描いているようにみえて、そうではない。地方が描かれるのは、あくまでメディアによって取りあげられるアイドルのような「素材」を産みだすか、または鈴鹿ひろ美のようなメディアスターの稼ぎ場となるかぎりにおいてであり、それから外れる三陸以外の地方は、たとえば鉄拳のパラパラ漫画に任されることで、物語のなかから大胆にカットされていたのである。

もちろん東京に出ようとして何度も挫かれるユイや、また「地元に帰ろう」と歌うアイドルユニットGMTなど、「地方」を象徴する存在も物語には登場する。ただし彼女たちが同時に、地元ではアイドルになれないと早々にあきらめた者たちでもあることも忘れてはならない。アイドルになるためには上京し、そこで競争に勝ち残ることが当然の前提とみなされており、地元に留まったまま、たとえばネットアイドルとして有名になるという道はあらかじめ閉ざされている。最後にアキによって地元でアイドルになるという可能性が僅かであれ示されるとしても、それはアキが東京でまがりなりにもメディアによってその「価値」が発見された上でのことにすぎないのである。

この意味では、『あまちゃん』が地方部で人気を集めなかったことも、アイドル文化を取り上げたことの代償として、それがあくまで東京中心の物語構造を組み立てていたことを理由としていたとみえてくる。「情報」が東京において選別され、磨きをかけられるその構造を前提に、東京に上京しなんとかスターになろうとする者の挑戦が、コメディタッチで描かれる。しかしその背後にあるのは、ただ「素材」の提供元として競い合わされる地方の地獄である。地方はそれぞれ東京に向き合い、そこに佇むメディアや視聴者の歓心を買うための孤独な競争——GMTのメンバーたちのように——を強いられつつ、その勝者のみがドラマでは光を当てられているにすぎないのである。

『あまちゃん』はそうして東京を中心とした情報流通の構造を前提とした物語を語るのであり、だからこそ、それがどれほど高齢者を含め、地方の人びとに共感されたかは怪しい。もちろん『あまちゃん』が、いまだ東京を起点として情報が発信されているメディア的な不公平をごまかさずに描いていたことを、果敢な挑戦とみることもできるだろう。しかしそれはあくまで現状の肯定の域を出ていないのであり、たとえば「移動」において示唆されていたような、東京をむしろバイパスした地方と地方のネットワークの萌芽は、描かれることなく無視される。だからこそ『あまちゃん』は東京圏の住人の自己満足を満たしたばかりで、地方では大きな共感を集めることはできなかったのである。

2　観光のまなざし

観光への期待

東京を中心としたこうした情報流通の偏った構図は、もちろん『あまちゃん』のようなフィクションのなかに具体化されているだけではない。情報流通の偏りは、よりリアルに地方都市の生活を揺るがしているのであり、それをよく示すのが、近年の地方都市を取り巻く観光の状況である。

多くの者が気づいているように、二〇〇六年の観光立国推進基本法の制定をひとつのきっかけとして、観光に対する注目が、近年ますます大きくなっている。地方都市ではとくにそうである。安村克己（『観光まちづくりの力学：観光と地域の社会学的研究』学文社、二〇〇五年）によれば、二〇〇二年の「観光政策審議会答申」に「観光まちづくり」の言葉が初めて現れて以来、「一地域一観光」といった言葉とともに、地方では観光にいっそう力が入れられている。二〇〇〇年代初頭以降、地方の町や村が押しすすめるべき課題として、観光が共通に認識されていったのである。

こうした観光への注目は、皮肉なことに、日本や地方都市の衰退を呼び水としていた。まず日本総体では、観光は円高でダメージを受けた輸出産業を補うものとして期待された。これまで経済を主導してきた製造業に大きな成長が見込めず、またアジア諸都市の発展によって、グローバルな金融資本の中心としての力を失うなかで、外貨獲得の手段として国レベルで観光に注目が寄せられていったのである。

この関係が、地方都市では国内向けに縮小再生産される。多くの地方都市で製造業の衰退は著しく、それを補う他の産業の見通しもあかるくない。たとえばY市でも、一九六〇年代はじめまでは農林水産業が生産額の一〇%を超える割合を占めており、また高度成長期には企業誘致によって第二次産業も総生産額の三〇%近くにまで膨らんだ。しかし現在では、いずれも地域経済を推進する役割をはたしているとは到底いえない。農林水産業の生産額は二〇〇八年現在ですでに全体の〇・八%にまで落ち込んでいるのであり、第二次産業の生産額も二〇〇〇年代以降、一三・三%までに急減少しているのである（山形市統計書）。

こうして他の産業が軒並み衰退するなかで、観光はいわば地域に富をもたらす魔法の杖として期待されている。観光にかならずしも大規模な設備や資本が必要とされないからだけではない。さらにうまくいけば、しばしば「衰退」さえ観光のキラーコンテンツになる可能性を秘めている。たとえば成功例とされることが多い由布院や遠野や夕張で観光業が発展したのは、逆説的にもそれらの地が成長から取り残されたことが大きかった。高度成長のなかで、大都市を中心に国土の姿は大きく変わる。しかし一九七〇年に国鉄が始めたディスカバー・ジャパンキャンペーンがよく示していたように、だからこそ残された自然や伝統、または過去の産業遺産に光が当てられ、これまで注目されなかったいくつかの地方の観光地に多くの客が引き寄せられていく。それをモデルケースとして、現在では多くの街で、開発から取り残された「自然」や、または衰退のはてに残されたさまざまな産業的「遺物」が、あらたな観光コンテンツとして期待されているのである。

とはいえもちろんそのすべてが、うまくいくわけではない。逆に数からみれば観光化に失敗する地方のほうが多い。それはまず多くの地方都市が観光に力を入れるなかで、観光の過当競争としてのいわばデフレが引き起こされるからである。地元では土地固有の「自然」や「遺物」として自慢される対象も、多数の場所と比較すれば、かならずしも外部の注目を集めないものが多い。そうして観光地化が過熱するなかで、多くの観光地はありふれたものとして、その「誇り」とともに、むしろ淘汰を招くことにさえなりかねないのである。

第二に、一度、勝ったとしても、競争が続くなかでは、勝利は多くの場合、一時のものにすぎないことが問題になる。「勝ち組」にもつねに目新しい刺激が求められるからだけではなく、さらに「自然」や「衰退」をキラーコンテンツとした場合、皮肉にも観光地化の成功そのものが、しばしば失敗につながるためである。観光の成功は往々にしてその土地の特色を奪うのであり、実際、由布院や遠野などの「成功」した観光地でも、人の過密や自然破壊が今では大きな問題となっている。

最後に観光地化を推進する人びとにはしばしば軽く考えられがちだが、より社会的には、街が観光だけで成立するわけではないことが困難をはらむ。観光地化は、たしかに一部の自営業者や建設業者、政治家に利益をもたらすかもしれない。しかし一般の生活者にそれがどこまで実質的な利益をもたらすかは疑問が残る。交通渋滞や自然破壊、治安の悪化に加え、街が生活者のものから観光客のものへと変わっていくことで、観光地化は地元の生活環境を逆にしばしば住みづらいものへと変えてしまうためである。

そのことを理解するために、そもそも観光客が、何のために観光地を訪れるのかを考えてみればよい。さまざまな理由はあるが、その中心的な目的には、「消費」がある。美味しい料理を出す店や、ホテルなどが観光客の住む都市にないわけではない。とはいえ多くの人びとはそれぞれの居住地で、サラリーマンや学生、主婦や定年退職者としての圏内を出ることはない。それに対して旅行は、それをはみ出す絶好の機会となる。普段は泊まらないホテルに泊まり、高価な食事を食べ、土産物屋でキッチュな商品を買う、ちょうどよい散財のアリバイを旅行は提供してくれるのである。

だからこそ観光は街に経済的利益をもたらすのだが、その代償として観光客を支配者として地域に君臨させることにもなってしまう。消費とは、何より消費者に自由な選択を可能にする機会としてあるが、それは観光の場合も同じである。観光客は、街を歩き、泊まり、食べることで、何が価値をもち、そうでないかを選別する主体として街を支配するのである。

その結果、街は観光客にしばしば都合のよいものに変えられる。「観光客が訪れてみたい

『まち』は、地域の住民が住んでみたい『まち』」（「観光政策審議会答申」二〇〇〇年）と唱えられるように、それが望ましい効果を挙げる場合もあるかもしれない。しかし予定調和は、たいていの場合起こらない。問題は、短期的な小旅行が一般的な日本では、観光客と地元の人の利害が往々にして対立することである。わずかなあいだ滞在する観光客は何かしらの刺激を地域から受ければよいのであり、だからこそそうした特殊な刺激を提供する飲食店や商店が観光地には立ち並ぶ。さらに問題含みなのが、観光地化がしばしば住人が観光客をもてなす主体になることを求めることである。観光客は観光業者だけではなく、そこに住む人びとが純朴かつ、気前の良く自分たちをもてなす「原住民」であることをしばしば望むのである。

ジョン・アーリとヨーナス・ラースン（加太宏邦訳『観光のまなざし〔増補改訂版〕』法政大学出版局、二〇一四年）は観光を、日常的な世界からみずからを切り離し、特殊な仕方で世界をみる行為と分析する。それを踏まえれば、現代日本の観光は多くの場合、短期間のあいだ地方を訪れる大都市の消費者の「まなざし」を地方に引き入れ、それによって街を「他者」のためのものに変えるものになっている。少なくとも二、三週間の滞在ができれば、観光客のまなざしが地元民そのそれに近づく可能性もあるのかもしれない。しかしそうした時間的、または金銭的余裕は現代日本の観光ではあたえられていないのであり、だからこそ観光客の増大は、街をしばしば逆に生活に困難な場所に変えてしまう。

観光による活性化の成功例が多くの場合、五万人前後の小規模な街にかぎられているのもそのためである。観光で利益を得る者が街の意見を支配できる規模でなければ、現実に観光化への舵を切ることはむずかしい。それを越えるたとえばY市のような規模の地方都市では、大都市の消費者の「まなざし」の導入は、それによって利益を得る者とむしろ害のある者とのあいだの分断を拡げるばかりで、観光地化の勇ましいかけ声とは裏腹に、現実的にはなかなか受け入れられないのである。

観光というゲーム

ただし困難であるからこそ、地方都市は観光地化を煽り続け、またその成果を誇ってもいる。それはY市でも同じである。Y市には日本有数のスキーリゾートや、由緒ある寺が所在している。近年の不況やレジャーの形態の変化のなかで、それらの旧来の観光地はたしかに苦戦を強いられているが、しかしだからこそ城跡を改装し、祭りやイベントを開催するなどして、Y市は観光客の誘致に努めてきた。その成果として公式には、近年下降気味とはいえ、二〇一〇年で総計二九七万人、県外からだけでも一五一万人前後と、市の人口の六倍近い観光客が訪れていると発表されているのである（図24）。

とはいえ、この数字は一概に信じられるものではない。それは「観光地」として市が独断で定めた博物館、美術館などへ訪れた延べ人数の総計であり、それゆえ、①観光客ではない近隣の利用者も含む上に、②そもそも各施設の訪問者を足し合わせることにどれほどの根拠がある

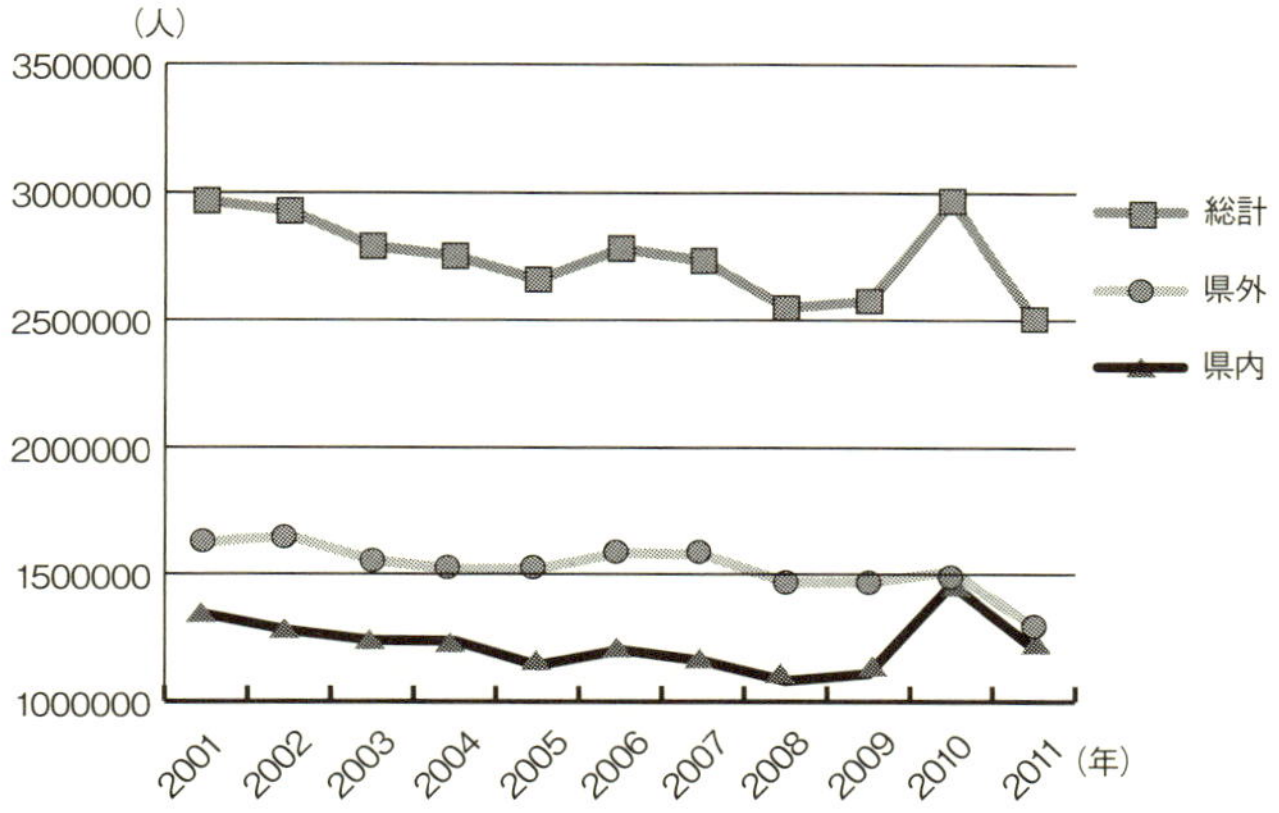

図 24　Y 市観光客数：山形市統計書

か理解しがたいためである。実際、グラフでは二〇一〇年に観光客が急増したようにみえるが、それはその年から貸しスペース等を含む複合施設や、レストランなどの集合施設をあらたに統計に含め始めたからであり、それを除き計算すれば、観光客は減少していたことにさえなる。

　統計上の観光客数のあやしさは、実はY県全体の数字でも同じである。県の公式見解では、二〇一二年には県外客だけで一七六七万人訪れたと指摘されているが（『図説　やまがたのくらしと経済』二〇一三年）、しかし各観光地の客を総和した延べ人数という意味では、それも市の統計と同じく意味のない数字というしかない。

　より正確な数字を知りたければ、観光庁が示す数字をみたほうがよい。観光庁は近年、県の発表する延べ人数を平均訪問地数で割る共通基準をつくり、それにもとづく全国的な統計を公表している。それによると、二〇一二年には宿泊・日帰り客を合わせ、八五七万人が県外からY県を訪れたと推計されている。

数字はそうして一気にしぼむ。県の公式発表の半分しか、観光庁によっては観光客と認められていないのである。しかしこの数字さえ、実は疑わしい。最後により現実味のある数字として、国土交通省の示す「旅客地域流動調査」から独自の推定をしておこう。これは県へと鉄道や自動車、バス、フェリー等で移動した旅客の数を示すものだが、それによれば二〇一二年には四二六万人、そのうちJRの定期を使った者を除けば、三八〇万人が県外からY県に訪れた計算になる。ただしそのすべてが、観光客とはいえない。自動車やバスを使う者のうち、通勤客の比率が列車と同じであり、また全体に含まれるビジネス客の割合が先の観光庁の想定――一六%とみなされている――と同じと想定すれば、ざっとY県へビジネス以外で訪れた者は二八〇万人と計算される。しかしこの人数も一度出て帰ってきた県民を含むのであり、それをきわめて乱暴に半数――おそらく過小評価であるが――と仮定すれば、一四〇万人前後という数字が最終的に導きだされる。

県の主張する一七六七万人と観光庁の集計した八五六万人、そしてここで推定された一四〇万人との差をどう考えればよいのだろうか。大量の観光客が徒歩または自転車で県境を越えていないとすれば、観光客は、市や県で想定された六分の一から一二分の一程度しか訪れていないことになる。もちろん旅客をもとにしたここでの推計が、唯一正確なものといいたいのではない。重要になるのは、どちらが正しいかということではなく、公表された資料に基づき、より合理的と考えられる観光客数が以上のように簡単に推計もできるにもかかわらず、行政がそれをおこなおうとしていないことである。それをせず膨大な数字を見積もるという意味では、行政の数字には、不正確であることをあえて拒否しない「未必の故意」としての大幅な水増しがおこなわれているといわざるをえない。

ではなぜそうした数字が主張され、またそれが受け入れられているのだろうか。それはまず当然、行政や観光業者の実績づくりに有益だからといえる。たとえば先の観光客の総計には含まれていないが、Y市には恒例の夏祭りがあり、三日で一〇〇万人規模を集客すると公式に発表されている。しかしこの数字は信用しがたい。二〇一四年には同市で東北大震災を祈願し大手の広告会社の主導でイベントが行われ、二日で二六万人を集めたと発表されているが、それより狭い地区でおこなわれ、人も多いとはみえない夏の祭りで、一日あたり三倍近くの人が集まっているとは考えにくいためである。それでも数字はひとり歩きして、行政や地元経済人によって事実であるかのように承認されてきた。観光客が多数集まったことは、それを主催する団体や人びとの威信を増す。さらにこうした観光客数に基づき、観光の「経済効果」も試算されるのであり、その意味で、観光客数は、さまざまな利害関係が絡みあうリアル・ポリティクスの争点として過剰に見積もられてきたのである。

しかしそうした陰謀論的見解だけを重視してはならない。水増しした観光客数が受け入れられるより構造的な土台として、大都市からの承認を求める地方都市間の切実な競争がむしろ重要になる。そもそも地方都市を訪れる観光客は、首都圏を中心とした大都市を大部分が出所としている。「旅客地域流動調査」から推定すれば、Y県でも東京、埼玉、千葉、神奈川からの観光客は七一万人と全体の一四〇万人のうち過半数を占めていた。

この東京圏からやってくる有限の観光客を奪い合う競争が、各自治体間で現在かなり露骨にくりひろげられている。たとえば二〇一五年には、補助金を出し旅費を負担してまで観光客を自県に呼び寄せようとする狂乱が国の後押しのもとみられた。そこまでして観光客を求められているのは、それが観光業者に富をもたらすからだけではなく、観光客の到来が、その土地に魅力があることを「証明」する何よりの根拠とみなされるためである。他の土地ではなく、わざわざそこを選んで訪れるとみられることで、観光客の増大は、衰退していく地方都市の現実を覆い隠すことになる。さらにはその地域の人気を証明する証拠として、それは民間や国からの投資や補助金を誘導する材料にさえなるのであり、だからこそ各地方は競い合いつつ、観光客数をできるだけ多く見積もっているのである。

もちろん数を競い合う統計的なゲームだけを、強調してはならない。それは観光の活性化を競うさまざまな競争の一部にあくまですぎず、競争のより中心を担うのは、むしろ「商品」の開発である。観光客はひろい意味で消費をおこなうためにその土地を訪れるであり、だからこそ魅力的な商品をつくりだすことが、土地の価値を高める有力な武器とみなされる。

とはいえ農業や製造業が停滞している地方都市で、現実的に都会の消費者の目にかなう商品を開発することは容易ではない。その代わりに期待されているのが、たとえば「B級グルメ」の発掘である。二〇〇六年に青森県八戸市で開催されたB−1グランプリや同年に特別番組としてスタートした『秘密のケンミンSHOW』を起爆剤として、それまで地域で特別なものとみなされていなかった日常食に脚光があてられ、それを商品化していく動きが拡がっていく。「富士宮やきそば」や「横手やきそば」、「八戸せんべい汁」、またY市では「芋煮」や「冷やしラーメン」「どんどん焼き」など、安価につくれ、しかし他の場所にはない「商品」として地元食が必死に探しだされ、プロデュースされていったのである。

こうした食べ物が、もともとどれほど地域に根づいたものであったのかといえば、たしかに疑わしいといえよう。歴史が浅い、また地元でも一部にしか食べられていない料理も多いのであり、いわゆる「伝統の創造」がしばしばおこなわれていることは、地元民にとってほとんど周知の事実である。しかし多くの場合、それがあらためて問題にされることはない。地域が通常、求めるのは、おもしろみのない真実ではなく、消費者をおびき寄せるための口当たりの良いアリバイだからである。

さらに近年では、こうした「伝統の創造」を越えて、より純粋な「捏造」さえ目につく。その代表例が「ゆるキャラ」のブームであり、二〇〇七年につくられた滋賀県彦根市の「ひこにゃん」、二〇一〇年以降人気を呼んだ熊本県の「くまもん」や、二〇一一年船橋で非公認でつくられ人気が爆発した「ふなっしー」など、地方都市の特徴を動物化、モンスター化したキャラクターが二〇〇〇年代後半以降流行する。Y市も同じである。Y市では、「はながたべ二ちゃん」「じゅっきー君」といったゆるキャラがつくられ、各種のイベントにもちだされている。そのうちべ二ちゃんは「ゆるキャラグランプリ2014」では全一六九九体中、九四位という微妙な人気を保っているようだ。

こうして地方都市は近年、伝統を創造し、または架空のキャラクターを捏造してまで、みずからをより「消費」される街とすることに余念がない。「B級グルメ」や「ゆるキャラ」に対するそうした騒動を、菅原琢は「プライド」を売るものとみなしているが（「自治体、競わされる理由は」『朝日新聞』二〇一三年八月二九日）、それはおそらく正しいのだろう。「B級グルメ」や「ゆるキャラ」を売ることとは、何が良いかの価値の判断をメディアや東京に住む人びとに委ねることであり、またそれによって自身をメディアや大都市の住人によって消費される「記号」へと貶めていくことを意味する。多くの場合、「B級グルメ」や「ゆるキャラ」はメディアのなかで驚かれ、または笑われる対象としてあるが、そうして自分たちを大都市に従属的な記号に変えて――『あまちゃん』のなかでGMTのメンバーがご当地を宣伝する奇抜なポーズをしつつ総選挙への投票を促していたように――までも、地方都市はより多くのメディアや観光客のまなざしを集め、みずからを消費の対象に仕立てあげることに努めているのである。

しかしもちろん地方都市は、好んで「プライド」を売っているわけではない。まず地方都市はそもそも特別に売る商品を近年失っているからこそ、伝統や地域の生活にかかわる唯一残された「プライド」を切り売りすることに追い込まれている。

さらに地方都市の人びとが「プライド」を売っているのは、大都市の人びとがそれを好んで買っているからでもある。この場合、最大の問題になるのが、大都市の人びとの多忙さである。少なくとも二、三週間滞在する余裕があれば、「B級グルメ」や「ゆるキャラ」など珍奇な記号としての商品が人気を集めることはないだろう。観光客のまなざしは地元民のまなざしに近づき、結果としてより日常的な消費が中心になるはずだからである。しかし現在のところ、そうした長期間の滞在が実現される兆候はない。実際、政府も旅行券に補助金を出し、短期の観光をあおるばかりで、大都市の人びとが長期的な休みを取ることにたいする支援には真剣に取り組んではいない。そのなかで、地方の記号化は進む。大都市の人びとに迎合し、一日で興味を引き、または笑われる商品を提供することで、地方は他の地方に対抗し、なんとか移り気な観光客の歓心を買おうとしているのである。

この意味では観光客数の水増しにも、B級グルメやゆるキャラの創造にも、論理的なちがいはないといえる。それは地方都市が他の都市との競争のなかで、東京からを中心としてやってくる観光客やメディアの評判を得るための必死の「ごまかし」なのであり、そうしたさまざまな詭弁や虚構を積み重ねながら、地方都市はますます大都市の客やメディアのまなざしに従属していく。その結果として、皮肉なことに地方都市自身は一向に衰退から回復しないままに、水増しされた統計的数字や、珍奇な料理、不死のキャラクターばかりが、現実をしばしば賑やかに覆い隠すという光景が地方都市ではしばしばくりひろげられているのである。

3　まちづくりとカースト

地方都市の支配の構図

観光地化の競争に巻き込まれながら、地方都市はこうして中央の政府やメディアの「まなざし」にいっそう従属していく。その結果として、地域のどこ、または何に価値があるのかの判断基準が、いっそう地域外の住人に委ねられていくのだが、それと同様の構図が、しかしより長い歴史的スパンで、地方都市がかかわる政治の領域にも確認される。

たしかに戦後、地方都市は首長をみずから選ぶ自治の権利を確立し、以来独立を保ってきたと語られる。しかしそれは建前でもあり、「三割自治」と呼ばれてきたように、自治体は金や人材において中央の意向に強く支配されてきたことも事実である。観光地化の競争がくりひろげられるなかで、地方都市がますます地域外の住人に従属していくのと同様に、地方自治体は地方交付税に代表される財源や人材・情報を引き出すための競争を強いられながら、中央政府にいっそう依存してきたのである。

こうした政治的な中央への従属は、地方都市内部に独自の権力の構図を産んだという意味で興味深い。かつて倉沢進（『日本の都市社会』福村出版、一九六八年）は、日本の多くの地方都市を理解するために、「伝統消費型都市」という類型を提示した。城下町として武士階級という消費者を集めることで成り立っていた街が、近代では国の行政機関とむすびつき、財源や購買力を集めることで地域の中心を占めていくというパターンが多いというのだが、そうした枠組のなかで、地方都市では中央とむすびついた人びとがまず政治的な力をふるう。

たとえば戦後社会では、政党政治家や大企業の支社に勤める正社員、または大学の教員、医者・弁護士などの専門職といった「上層ホワイトカラー層」がその役割をはたした。これらの人びとは、公式・非公式に中央から情報や金を引き出す競争に力を貸すことで、地方都市のなかで高い権威を維持してきたのである。

ただしそれらの人びとだけによって、街の政治は支えられてきたわけではない。まずそれらの人びとが中央への従属をますます促すことが問題になる。大企業の社員や専門家層の人びとは、中央からもってくる情報や財源によって自分の地位を保っているのであり、その人びとに完全に任せた場合、街は根こそぎ自立の契機を奪われてしまう。加えてより大きな問題は、それらの人びとが本質的に「移動する人びと」だということである。他の場所でもやっていける（はずである）ことが企業人や専門家の力のむしろ源泉になっているのであり、だからこそ彼・彼女たちは、街の命運について強い関心をもっておらず、最終的にその責任を引き受けることもない。

その代わりに、街の運命により切実な関心をもつことで政治を動かしてきたのが、地元の中小の自営業者たちであり、またそれらの人びとを代表する「名望家」である。競争相手が数多く現れない地方都市では、家業を引き継ぎ、下請けの工場や店を代々営んでいくことが比較的容易になっている。そうして世代に渡って同様の商売を営み街に根付く者たちが「名望家」に従い、町内会や商工会といった半公共的な団体の運営の中核を担うことで、地方政治はしばしば実質的には運営されてきた。自営業者層は、たしかにあまり大きな権威や財産をもっていないことが多い。しかし何より街の命運が直接利害関係にかかわる——たとえば地価の低下は地元の財産を直接減らす——ことから、労力や金を惜しまず街の政治にかかわり、それによって街を支配してきたのである。

たとえばY市でも、戦後、中央官庁からの支配が比較的緩んだことに応じて、土地に根付いたこの自営業者層を束ねる名望家の力が拡大していった。先にも触れたが、新聞社を中心とするグループがY市では交通や観光、ホテル業を次々と傘下におさめ、政治家さえ動かす大きな力を蓄えていったのである。外部の資本の浸透を防ぐという名目のもと、自営業者層を中心にその支配力の拡大も受け入れられていくのであり、そのおかげで、たとえば全国チェーンのコンビニやファーストフードの進出から、九〇年代前半まで県を「守る」ことができたといまなお語られている。

とはいえ、名望家層だけで地域をうまく運営できるわけではない。他地域との競争し資金や補助金を引っ張ってくるためには、中央に依存する層をうまく抱き込み、利用する必要がある。そうして戦後の地方都市では、中央に対して異なる態度をとる「上層ホワイトカラー層」と、「自営業者層」、またはそれを率いる「名望家」が争い、または妥協しあう緊張関係のなかで政治が動かされてきた。その両者を調整することが、行政の大切な仕事になる。そもそも自治体職員は、中央の意向を受け入れ、出向をくりかえすという意味では大企業の正社員と共通する面が多く、逆に地域と浮沈をともにするという意味では、自営業者層と危機感を共有している。そうした行政職員を仲介としながら、地方政治は中央依存と排外主義の両面をうまくコントロールしつつ、まがりなりにも運営されてきたのである。

もちろん地方都市にも、それらのいずれにも属さない中小企業の労働者や主婦、学生などが暮らしていることも事実である。ただし彼・彼女たちの立場は地方都市では相対的に弱く、専門家層か、自営業層のいずれかに取り込まれなければ、政治的な力を発揮しがたい。その中間層の意向を確かめる代表的な機会になるのが、「選挙」である。数年に一度のこの儀礼的機会を通して、街をより中央の統制に従うものにするのか、より排外的なものとして維持するかの方向づけが決まるのであり、地方都市で「選挙」がしばしば異常な盛り上がりをみせるのもひとつにはそのためである。

支配の空洞化

以上のように中央への依存を前提として、地方都市には独特の政治的空間がつくられてきた。しかしこうした支配の構図は、現在でも変わらずにみられるものではない。むしろこれまでそれなりに安定してきた地方都市の政治の構図が揺らいでいることが、近年、大きな問題になっている。

まずバブルの崩壊後、大企業が地方都市から撤退し、さらに業務のアウトソーシング化が進んだことで、地元に暮らす大企業の正社員層や専門家の厚みが減少した。地元の利害をまがりなりにも代表する中央とのパイプをもった層がそうして少なくなっているのであり、さらに長引く不況のなかで、地元の自営業者層も弱体化している。Y県でも、自営業者の割合が近年急減し、逆に雇用者の割合は上昇を続けている。一九七七年には五〇％台だった雇用者は、二〇一二年には八三・九％と労働者の大部分を占めるようになっている（就業構造基本調査）。結果、高齢化も重なることで、自営業者が街の運営に費やすことのできる余力は、ますます小さなものになっているのである。

こうして大企業正社員や専門家だけではなく、自営業層も力を弱めることで、地方都市をかつて統治してきた支配者層は両面から揺さぶられている。もちろん形式的には多くの地域で、土地に根を張る「名望家」の末裔がいまだ政治の中心に座っていることも珍しくない。ただしそうした者の多くも現実的には、地方の衰退に直面し、たとえば先にみたように、高層マ

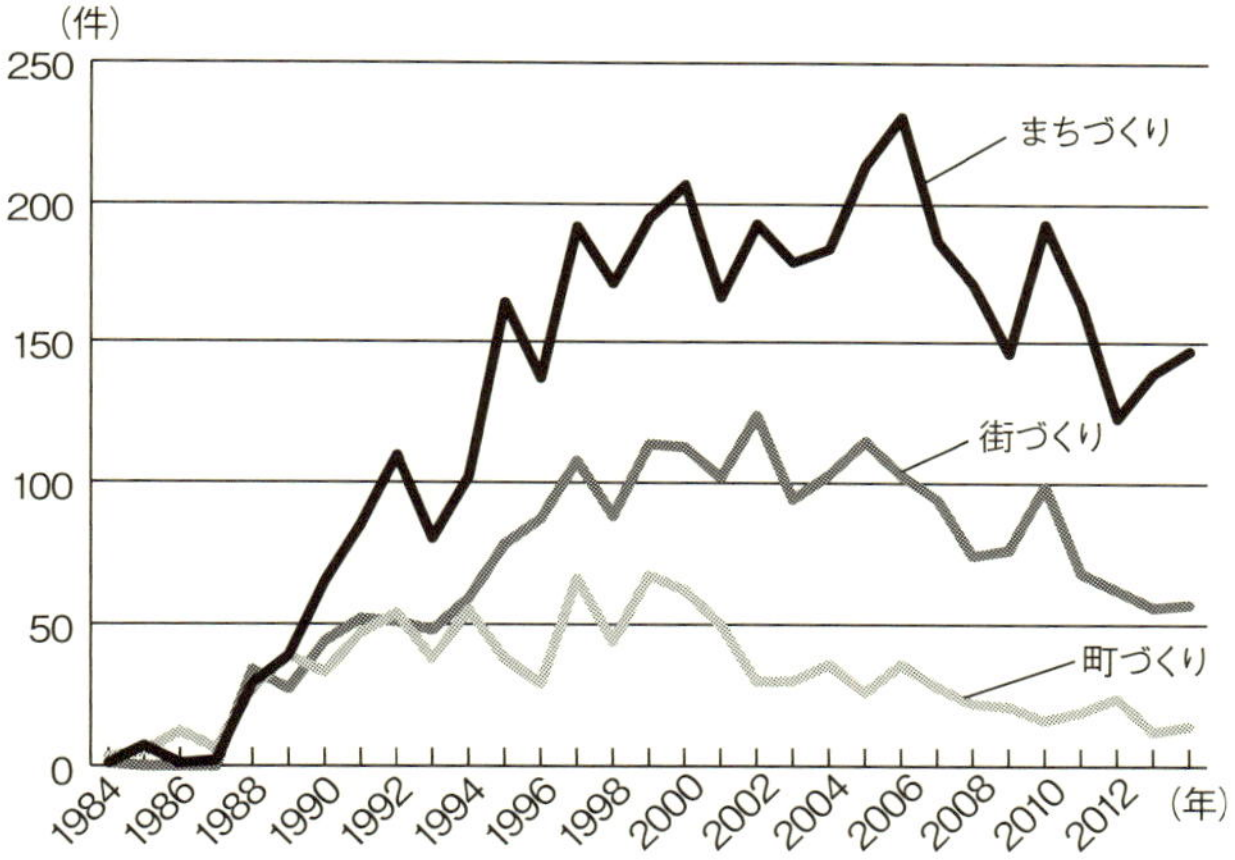

図 25　朝日新聞見出し件数（朝刊夕刊含む）：聞蔵 II より検索

ンションを購買するなどして、我先に首都圏に資産や生活基盤を移している。その結果として、地方都市を統治する情熱も余力も、徐々に失われているのである。

こうした地方都市の支配の構図の空洞化を、眼にみえるかたちでよく示すのが、皮肉なことに現在の「まちづくり」運動の活性化である。朝日新聞の見出しの件数を数えた図25のグラフからは、九〇年代以降、「まちづくり」という言葉が、「町づくり」や「街づくり」に並び、さかんに話題となってきたことが浮かび上がる。たしかにそれまで、類似した運動がなかったわけではない。戦後だけみても、「まちづくり」は、①高度成長に伴う街の破壊や公害への反対運動、②行政の都市計画に対抗した生活者目線からの問い直し、③歴史的な町並みの維持の要望といった複数の起源をもち実行されてきた。行政にしばしば対立しつつ、それを補う住民運動的な自治の形態として、まちづくりは推進されてきたのである。

とはいえ現在のまちづくりの運動は、それら以前の実践とは大きく異なる特徴をもっている。注目されるのはそもそもそれ以前のまちづくりが、あくまで「恵まれた」街を中心とした運動であることを特徴としていたことである。まちづくりの起源として、歴史的街並みを守ることを求める一九六八年の「金沢市伝統環境保存条例」や、住宅地や商業地の秩序を自分たちで定めることに足を踏み出した一九八一年の「神戸市地区計画及びまちづくり」、一九八二年の「東京都世田谷街づくり条例」が挙げられることが多いが、それは戦後のまちづくりが守るべき歴史的な街並みや、閑静な住宅地といった特権的な「資産」をもった強者の運動としてスタートし、また比較的豊かに金銭やコネ、暇をもつことで成功した面があったことをよく示す。

しかし現在のまちづくりは、九〇年代以降の経済不況や中心街の衰退を踏まえた、むしろ敗者の運動へと基本的に変わっている。そもそも現在のまちづくりが大きな力になるきっかけになったのは、まず、①一九九五年からの第一次分権改革に代表されるように、中央に依存しない「自治」が地方に求められていったことである。国の財政の悪化に対処するために地方の自立が求められたのだが、それはバブルの崩壊により経済的停滞に陥っていた地方都市に厳しい選択を突きつけることになった。その代償として、たとえば一九九八年には「大店立地法」、「中心市街地活性化法」、「都市計画法」からなるいわゆる「まちづくり三法」もつくられ、街の再活性化に力が入れられていくのである。

にもかかわらず問題は、②それを担う政治の主体が弱体化していたことである。自立を求められた地方自治体には、しかし先にみたように、かつてであれば意思決定や業務遂行を担った専門家層、または自営業層やそれを束ねる名望家のサポート（または圧力）が欠けていた。

それを補う手段として期待されたのが、「まちづくり」だったといえる。たとえば一九九二年の「都市計画法」の改正に伴う「市町村マスタープラン」の策定や、一九九八年の「中心市街地活性化法」――とくに二〇〇六年の改正以降――において、市町村は他の自治体と競争し、国から補助金や交付金をもらうために独自の都市計画をつくることを求められたが、同時にその計画に対し何らかのかたちで住民の「同意」を得ることが要請された。そのためにアンケート調査や意見交換会が実施され、さらには商店街主やまちづくり会社を中心とした協議会が組織される。それらの組織づくりのキーワードとなったのが、「まちづくり」である。そうして現在のまちづくりは、かつてのように行政に敵対するのではなく、むしろその必死の呼びかけのもとに人びとを動員する「紋切型」としてあったという意味で、いかに自発的なものとみえようとも、地方自治体と中央政府の駆け引きのなかでつくられた「官製」の運動としての起源を隠しがたいのである。

こうした特徴は、Y市においてもたしかめられる。Y市では都市計画法改正を機会に「都市計画マスタープラン」（一九九八年）が、さらに改正された中央市街地活性化法を前提として

「中心市街地活性化基本計画」（二〇一四年）がつくられているが、そのいずれにおいても「まちづくり」の連呼が目立つ。たとえば前者では、一九九六年の第五次総合計画を引きあいにだしつつ、「人いきいき　豊かさ実感都市」といった標語が掲げられるとともに、「市民の想いと行動によるまちづくり」、「交流が広がる魅力あふれるまちづくり」、「人と自然を大切にするまちづくり」が計画の基本理念とされている。「市民の想い」に応じた「まちづくり」といった言葉は、どこの街にも当てはまるという意味で空虚なばかりか、どう解釈もできる危険なものというべきである。しかしある意味ではだからこそ、それは重宝されてきた。それは市と連携して計画される団体の実践を何であれ正当化するいわば「ポエム」的語彙――マンションの販売広告のなかでそれをしばしば飾る「マンションポエム」のように――として、多面的に活用されてきたのである。

その意味で「まちづくり」という標語の連呼に、行政の浮薄さや思慮のなさをみるだけでは、片手落ちである。一方で「まちづくり」という空虚な言葉の裏側には、計画を承認する主体を求める行政の切実な要請と、また利用できるものは利用するという狡猾さが透けてみえる。国家からの援助が減少し、さらに政治に積極的に参加する専門家層や自営業層が少なくなっていくなかで、地方自治を担う主体が必死に探し求められる。しかしそれは容易にはみつからない。たとえばY市でも先の「都市計画マスタープラン」を正当化するために、さかんにワーキンググループや意見交換会が開催されたというが、そこにはかならずしも多くの人が集まったわけではなかった。

だからこそ「まちづくり」が訴えられる。現実の都市が存在しているのに、「まち」をつくるのがおかしいという批判もしばしば聞かれる。しかし今では地方都市の政治を支える主体が蒸発しているのであり、その結果、地方都市は政治的まとまりを失っている。そうして融解する地方都市になんとかあらたな虚構の「まち」をつくりだす必死の「呼びかけ」として、まちづくりはそれだけいっそう賑やかに叫ばれているのである。

地方都市のカースト

ただし「まちづくり」の呼びかけは、たんに空疎なものとはいえない。それは一定の街の人に受け入れられていくことでたしかに力を振っているのであり、だとすればそれにまつわる何かしらの利点や魅力も考えてみる必要がある。

それにかんしてまず思いつくのは、街の活性化に役立つという公然の目的である。しかしそれをそのまま受け取ることはできない。「活性化」とは何を意味するのか、曖昧というしかないためである。中小都市にも、階層や思想、ライフスタイルを異にするますます多様な人びとが暮らしており、「活性化」はそれぞれの集団に、場合によっては真逆の意味をもつ。だとすれば魔法のようなその建前を信じる前に、まちづくりの中身を生活者水準において、より具体的にたしかめる必要がある。

その際に注目されるのが、まちづくりが街を担う集団の育成に、たしかにつながることである。専門職層にしろ、自営業者層にしろ、街の運命を我がことのように感じる主体が減少していくなかで、まちづくりは地域の政治に積極的な役割を担う人材を発掘し育てる機会として一定の役割をはたしてきた。だからこそゴミの清掃や討論会、一度かぎりのイベントの開催など、どれほど実質的な効果をもつかわからない活動も、しばしば少なくない補助金が充当されながらも、まちづくりにたびたび組み込まれているのである。

とはいえそれは、よいことばかりではない。逆にだからこそまちづくりには、街のなかでの序列を定め、ある種の人びとをその街で生きにくくする効果も含まれるのではないか。問題は、まちづくりがたとえ形式的には誰にでもひらかれていたとしても、それに参加できるのは、何かしら「選別」された人びとにかぎられているということである。社会的地位や学歴、財や地元の名声、あるいはたんに「意識の高い」者であることなど、なにかしらの特別の「資源」をもっていなければまちづくりには参加しにくく、たとえ参加したとしても居心地良くすごすことはできない。

いいかえるならば地域の「エリート」を発掘し固定化する効果を、まちづくりはもっている。このエリートは、たしかにかつてのような大企業の正社員・専門職や、地域の自営業者層をそのまま意味しない。ここでいうエリートたちは、むしろ固定した階層や集団を形成しておらず、地域のなかで目にみえがたく分散している。しかしだからこそ、地域に潜在する特別の「資源」をもった人びとに光を当て、地域の支配的秩序を担う集団をつくりだす特別の機会として、まちづくりは重宝されてきたのである。

そうしてまちづくりが活性化する「秩序」のなかでも大きな位置を占めるのが、「地域カースト」とでも呼べる固定された上下関係である。近年、学校のなかでとくにコミュニケーションに優れた者が上位に位置づけられるカーストが存在し、それがいじめにつながっていることが話題になっている（森口朗『いじめの構造』新潮社、二〇〇七年）。そうしたカーストを延長し、または再編していく契機として、「まちづくり」はしばしば働く。もちろん学校といった閉じられた空間でこそカーストは維持されるのであり、それを無前提に地域社会に拡げることは問題とみる者もいるかもしれない。しかし裏面からみれば、むしろほっておけば消えてしまう「学校カースト」を延命する絶好の機会として、まちづくりは重宝されてきた。まちづくりを通じて、救うべき対象としての街を中心としたいわば擬似的な閉鎖空間がつくられる。そうして学校以来のみえない序列がもう一度、再活性化されるのであり、実際多くのまちづくりは、しばしば学校の先輩後輩の関係や同輩関係を利用して円滑に動いているのである。

地域に潜むこうしたカーストのあり方を具体的に示すものとして、入江悠が監督した『ＳＲ サイタマノラッパー』（二〇〇九）を取り上げてみたい。もともと自主制作でつくられたこの映画は次第に評判を高め、三作目までシリーズ化されるほどの人気を集めた。その理由のひとつとして、それが地方都市のわずらわしい関係をよく描いていたことが挙げられる。物語は埼玉の「福谷」という架空の地方都市（ロケ地は埼玉県深谷市）を舞台に進められるが、その街で主人公のニートのＩＫＫＵは、将来ラップのスターになることを夢見ている。「イケてる」とはいいがたいＩＫＫＵにとって、外来文化としてのラップは、レコード屋すらないその地方都市から這い出て、なり上がるための貴重な手段だったのである。

皮肉なことは、しかしそうした夢も、街の力関係に依存して初めて可能になっていたことである。ＩＫＫＵは友人や高校の時の先輩、後輩とグループを組みながら、ラップスターになることを夢みているが、そこには仲間とはいいがたい力関係が支配しており、たとえばＩＫＫＵはグループのなかで「ただの雑魚キャラ」と認識されている。それでもＩＫＫＵはグループを離脱することはできない。その街でラップを続けていくためには、学校以来固定されたそうしたカーストを利用し、場合によってはそれに守られながら活動していくしかなかったのである。

こうした悲しい力関係を観客によく示すのが、公民館の「まちづくり」の場でのラップのシーンである。ＩＫＫＵらは先輩たちから初ライブの提案を受け狂喜するが、当日やってきたのはＩＫＫＵたち年下グループだけで、その舞台も「福谷市における若者と市の集い」という高齢者やサラリーマン、主婦らが集う「まちづくり」の場だった。ＩＫＫＵらがそこで必死におこなうライブが映画のひとつの見所になっているが、しかしそれで場が盛り上がったわけではない。誰もノらないライブの後には質問コーナーが準備され、そこで学歴や職業を問い詰められ、真剣に将来を考えたほうがよいと説教される始末なのである。

これはひとつのコントだが、案外現実のまちづくりの場でも似たことがくりかえされているように思われる。まちづくりは、学校卒業とともに消えてしまうはずのカーストをもう一度再活性化し、「使える」者とそうでない者の序列を定める。IKKUたちにとっては少なくともそうだった。公式のまちづくりの環境に組み込まれることで、先輩と後輩、また働く者とそうでない者といった地域のなかの序列関係がより明確に可視化される。そこでIKKUはラップスター(の卵)ではなく、仕事もなく学歴もない、地域のなかの最下層のニートであることを、周囲の人びとに無理やり再確認させられてしまうのである。

弱い者たちがさらに弱い者を叩くこうしたマウンティングの状況が、まちづくりという仕掛けを通して再生産され、維持される。それこそをまちづくりの隠れた、しかしより本質的な機能とみる必要がある。問題はそれによって一度、下位に置かれた者は、IKKUのように、つねに同じ者に留まることを強制されることである。カーストの下位の者は、成長や変化を認められないことで、変わらず使えない者として再確認され、あらたな自分=「他者」になる可能性を奪われる。

その根本的な条件になっているのが、前章でみた近年の移動の減少である。出て行く人も入ってくる人も少なくなる状況のなかで、地方都市では一度割りあてられた序列や立場を覆すことがますますむずかしくなっている。そうした状況のなかで移動する人びとの困難を二〇〇〇年代後半に話題を集めた二人の犯罪者の軌跡をみることで先に確かめたが、さらに地方都市に残された人びとの生きがたさをみるためには、たとえば同時期に話題を集めた畠山鈴香の事件が参考になる。

前の彼女たちと同じく北日本（秋田）で第二次ベビーブーマー世代として産まれた彼女は、しかし東京へは赴かなかった。高校卒業後、彼女は栃木県の鬼怒川温泉で働くのであり、しかしそれも二年で辞め秋田の地元の街に戻ってくる。そして娘とその友達の児童を殺すことになったのだが、彼女をそうして追い込んでいったひとつの要因として、地域経済の停滞とそこに根付くカースト的閉塞を無視できない。ワイドショーでもしばしば取りあげられた悪ふざけの度を越した寄せ書きがよく示すように、学校時代から一段下の人間と見られていた畠山鈴香は、その街で満足な職につけることもなく、助けてくれる友人や親族との関係が薄い孤独な生活に追い込まれる（鎌田慧『橋の上の「殺意」：畠山鈴香はどう裁かれたか』講談社、二〇一三年）。街を支配する秩序から脱けだす機会を彼女は奪われていたのであり、たとえば事件後、虐待や売春にかかわるさまざまな噂が彼女に立てられていったが、その真偽はともかく、そうした噂が語られていたことそのものが、彼女が地元で侮蔑やからかいの対象であったことをよく示している。

虚構上の存在であるが、ＩＫＫＵもまた同じである。人口移動の停滞によって、地域に根付くカーストをＩＫＫＵは抜けだすことができない。たしかに映画ではその地方都市をよりイケてると認識されている先輩や後輩、元同級生のＡＶ女優は抜けだし、東京を目指すが、しかしそうした移動は彼、彼女たちが野心や自信をもった相対的な「強者」だったからできることでもあった。対してＩＫＫＵは最後までその地方都市に留まり続け、自分を最下層に追い込むカーストを受け入れることを求められる。そうしてＩＫＫＵは歌うことを止め、遂には居酒屋でバイトし、ありふれた「地元民」のひとりとして、生きていくことを強制されるのである。

なるほど映画では最後に奇跡のような瞬間が訪れ、ＩＫＫＵはもう一度「この町フクヤ」の「半径一メートル」を根拠にして、しかしそれまでとはちがうあらたな自分＝「他者」となり歌う可能性をみいだす。だからこそそれは感動的なのだが、ただしそれが本当に幸福な選択だったかはわからない。第二作や第三作では、フクヤに留まるＩＫＫＵの生活は語られず、むしろ放浪のラッパーとしてＩＫＫＵのがさすらうあかるいパラレルワールドが描かれるだけだからである。

こうして映画が照らしだすように、現在、地方都市では、まちづくりをひとつの契機としつつ、人びとの序列を固定化するカーストがより強いものになっている。そうしてまちづくりがさかんになっているのは、そもそも現実の地方都市が政治的まとまりとしては解体され、力を失っているためといえる。先にみたように地方都市では、かつてのように街の政治を牛耳り、支配するホワイトカラー上層や自営業者層は目立たなくなっている。しかしそうして明確な支配者がいなくなっているからこそ、まちづくりは必要とされる。まちづくりは、融解する現実の都市に、もうひとつの「まち」をつくりだすことで、別の秩序をつくりだそうとする試みとしてあった。そうした秩序は、街の未来といった希望をみせることで反論しがたい力をもつが、だからこそそれは、衰退する地方のなかで威信を失っていく人たちにしばしば受け入れられる。政治的秩序が流動化した地方都市のなかで、みずからより下の者を見出し、威信を取り戻させる絶好のマウンティングの機会として、まちづくりはしばしば利用されているのである。

第4章　地方都市で遊ぶ、地方都市で働く。

1　ロードサイドという装置

消費の誘惑

まちづくりの声の賑わいは、こうして逆説的にも現在の地方都市の政治的な困難を照らしだす。最大の問題は、地方都市で街の命運を引き受けようとする主体が少なくなっていることだが、ではなぜそもそもそうした主体が育たないのだろうか。その原因としては、都市の経済的な衰退や産業構造の変化、さらにみてきたように、カーストの下位に置かれ、結果として政治的な発言権さえ奪われる人びとが増加していることが考えられる。

ただしそれだけではなく、地方都市に「消費社会」の波が拡がっていることが、より大きな要因として考えられる。これまで本書は地方都市で、住居や自動車、メディアを通した情報などがさかんに消費されていることをみてきた。こうした消費は、たしかに一方では商品やサービスを選択する個人の決定の力を強める。ただし決定が、あくまで私的で気散じな水準に留まることも忘れてはならない。街のためにではなく、自分の欲望に従い気ままにモノを買うことが消費者には促されるのであり、その結果として、消費活動の活発化は、たとえばカーストの下位に留まる者の不満を償いながら、地方都市の政治に積極的にかかわる動機を掘り崩していくのである。

「消費社会」の浸透は、地方都市にこうして私的な生活の厚みを増しているが、その状況を具体的によく示しているのが、ロードサイドビジネスの活発化である。先にみたように一九七〇年代以降、自動車の普及が郊外化を加速していくが、それと並行して郊外を貫通する幹線的道路の脇に中規模の店が目立ち始める。都市生活を支えるために必要なありとあらゆる店がロードサイドに集まっているのであり、たとえばファミリーレストランやラーメン屋、ステーキ屋、紳士服、家具、DIY用品、リサイクル品、自動車や住宅までも売る店がロードサイドには連なり、またDVDのレンタルショップや映画館、ボーリング場などの娯楽施設も点在している。

そうした風景をつくりだす大きなきっかけになったのが、大店法（大規模小売店法）の施行である。中心地域の商店街を脅かし始めたスーパーを規制することを狙って、一九七三年に大規模な巨大な商業施設の出店と立地を定める大店法が定められ、一九七九年にはそれが強化された。それによって地方都市では、地元商店街の近隣に五〇〇㎡以上の店をつくることがむずかしくなる。しかし皮肉にもそれが郊外への出店を加速し、巡り巡って既存の商店街にダメージをあたえることにもなった。商店街での出店ができなくなった者たちが、小規模の店舗をロードサイドに次々と構え、便利な消費の場所をつくりだしていく。それによって既存の街へ向かう客足を遠ざけてしまうのである（小田光雄『「郊外」の誕生と死』青弓社、一九九七年）。

さらにそれだけではない。そうして産まれた郊外に買い物に向かう流れは止めがたく、皮肉にも、次の段階では、この大店法の規制緩和が逆にロードサイドをさらに拡大する契機となった。九〇年代始めに、貿易赤字の解消を狙うアメリカからの圧力もあり、出店の許認可が迅速化され、一〇〇〇㎡以下の店も原則自由な出店が許される。それによってショッピングセンターを含むより大規模化された店が、比較的敷地を確保しやすい郊外にますます立ち並んでいったのである。

矛盾したことに、こうして大店法の制定とその規制緩和の両者が、高度成長以後の日本の幹線道路沿いに数多くの商店の集積をつくりだすきっかけになった。それによって都市の外縁の風景も大きく変わった。ロードサイドの店の特徴は、チェーンストアとして地域、または全国を股にかけ展開する店が多いことである。その前提になるのが、「オーダーリース方式」という出店方式である。ロードサイドでは、チェーンストアが敷金や保証金の名目で資金を地権者に貸し付け、建てられた店を土地ごとレンタルするかたちで出店されることが一般的であり、それによって資金をもたない地権者も手軽に商売を始められることになった。そうして多くの農地が迅速に商業地へと変えられていったのであり、その結果、日本各地の幹線道路を、画一的な景色が覆い尽くす。商品生産や流通、宣伝の費用を圧縮することを狙って、チェーンストアは、地域を超え短期間のうちに店を展開するのであり、そうした店に車からでも視認されやすい大きく、単純で原色のロゴがかつての農業地帯を覆い尽くしていくのである。

それはY市でも同じである。その一例として一九五二年に近隣市の米軍駐屯地の近くに進駐軍需要を狙い一軒の薬局がつくられる。しかしそれは同時にサンフランシスコ平和条約発効の年であり、米軍需要に見切りをつけあらたな需要を求めたためか、その薬局は早くも翌年にはY市の中心市街地に店を構える。さらには謳われ始めた流通革命の声にいち早く反応し、一九六二年にはY駅前に本格的なスーパーマーケットを設置する。その後、近隣市の一九七〇年のT市への出店を代表に街なかに店を巨大化しつつ増やしていくが、大店法施行後にはそれを切り替え、一九七四年にはY市の郊外のバイパス沿いの出店を皮切りに、郊外型の展開をみせていくことになった。そうしてスクラップアンドビルドをくりかえしつつ、今では郊外に多くの店をこの地元資本のスーパーマーケットは林立させているのである。

それを先駆として、Y市のロードサイドも変わっていった。とはいえ一方ではその時点では、Y市のロードサイドビジネスの展開は、かならずしも大きなものだったとはいえない。地元資本の店舗を例外に、自営業者層が全国的チェーンの展開を政治的に抑止したことに加え、大店法の施行に滑り込みで中心街に建てられたジャスコ（一九七二年）や駅前に建てられたニチイ（一九七三年）といったデパートやスーパーが皮肉にも、街なかのにぎわいを保護したためである。一九七五年には県庁が郊外に移転され、街なかにダメージをあたえたが、それでも買い物の場としての優位は維持された。実際、買い物を市の場所を尋ねた調査（図26）でも、八〇年代なかばまでは郊外に対し、中心街が大きな比重を占めていたのである。

しかし九〇年代初めの大店法の改正をきっかけとして、ロードサイド化の流れは、Y市でも

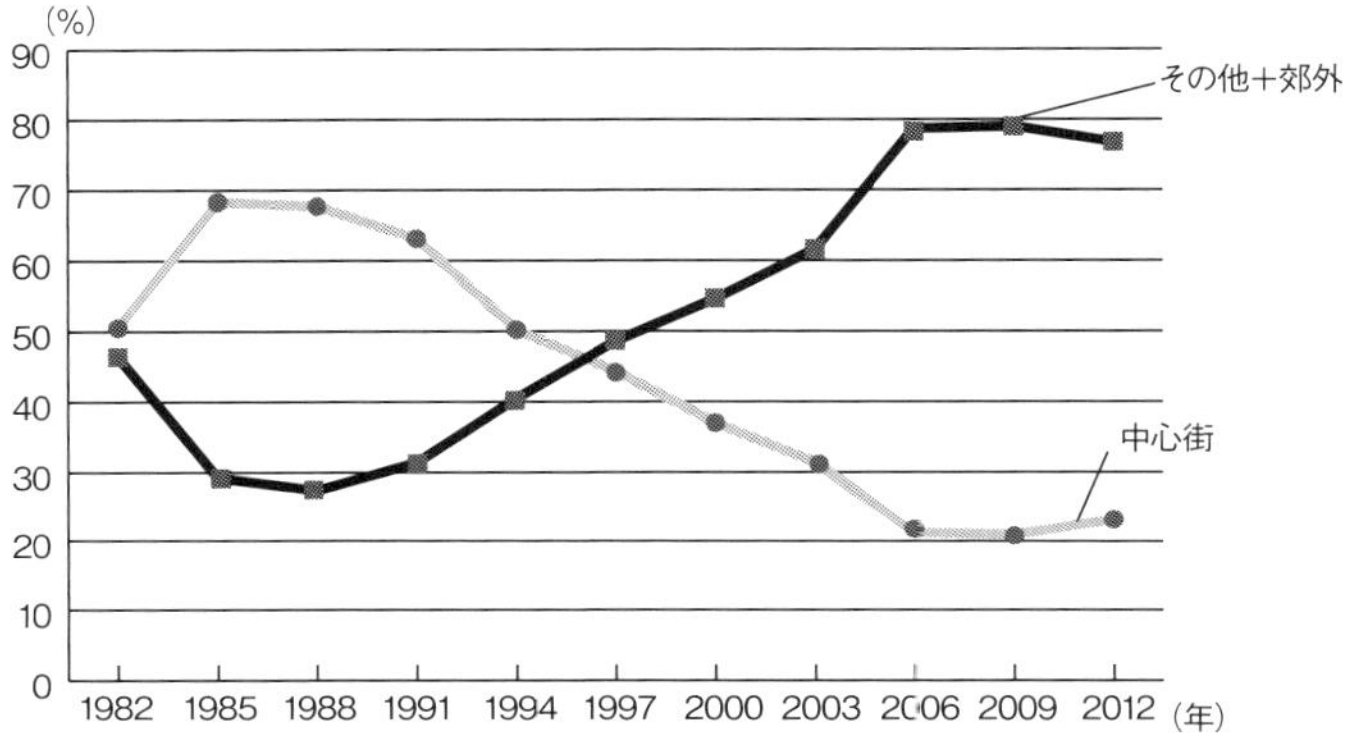

図 26　Y 市における買い物動向：山形県買物動向調査

加速する。その最初の引き金になったのが、それまで街なかの賑わいを支えてきた大型店の移転である。その時期、たとえばジャスコは大店法の改正の流れを掴むと全国的に既存店舗を整理し、郊外大店舗へと経営資源を移していくが（平井俊哉『郊外型商業パワーの脅威：ロードサイドショップや郊外型ＳＣが新しい商業地を創造する』ぱる出版、一九九四年）、Ｙ市でもそれを止めることはできなかった。一九九三年に街の中心部から撤退した代わりに、今度は北部の郊外（一九九七年）と南の郊外（二〇〇〇年）に二つのジャスコがつくられる。それを契機として買い物の場所は、中心街を挟み込む南北の郊外に一気にシフトしていくのである。

以後、ロードサイドのビジネスは、中心部の商店街の力を削ぎつつ、ますます発展している。ジャスコ移転のあおりを受け、たとえばＹ市では二〇〇〇年から二〇〇二年のあいだに、三割以上、中心街を歩く歩行者も減っているが（中心市街地活性化基本計画）、それはよりマクロにみても同じである。たとえばY県全体の商品販売額は、一九九七年から二〇〇七年の一〇年間で、商業集積地区が三九・三％の減少がみられたのに対し、「ロードサイド型」に絞れば逆に五四・九％増加しているのである（『山形のくらしと経済』二〇一三年）。

ロードサイドビジネスは、こうして中心街の商店街に大きなダメージをあたえつつ展開されるが、しかしそれはもちろん地方都市の生活に悪い影響を及ぼしただけではない。たとえばそれは地方都市に住む人びとに、好きな商品を自由に買える、気楽な消費購買の機会を解放していった。個人商店は品ぞろえや、開店時間や営業日がかぎられていることで、勝手がわからない者を戸惑わせる。たしかにそうした店主の「わがまま」が個人商店の魅力になることもあるのだが、対してロードサイドのチェーン店では、好きなときに好きなだけ、また初めての店でも戸惑うことなくより気楽に消費を楽しむことができる。夜中に自動車に乗り、本を買い、DVDを借り、ファミリーレストランで食事をするといった気楽な生活によって、ロードサイドは地方都市の住人を魅了していったのである。

もちろんロードサイドで、あらゆる商品が買えるようになったわけではない。しばしばロードサイドは退屈な場として非難されるが、それはロードサイドがかならずしも多様な商品を揃えていないためである。ロードサイド店が、郊外に暮らすファミリーをおもな顧客としてきたことがその大きな理由になる。自動車の普及に伴い、郊外に暮らし始めたニューファミリーを主体としたライフスタイルを、ロードサイドはしばしば発達させてきた。そうした家族中心主義的なライフスタイルから価格や趣味の面でこぼれ落ちる商品は、ロードサイドではたしかにみつけにくいのである。

ただしそれは、表面的な観察でもある。郊外が開発されてからすでに三、四〇年、ニューファミリーの枠をはみだす人びとも、すでに数多く郊外に暮らし始めている。それに応じて、ロードサイドは匿名の消費の場として、むしろ多様な欲望のゆりかごになってきた。たとえば近年ロードサイドには、牛丼屋やバーガーショップなど「孤食」を可能とするファーストフードの店が集まっている。地方都市ではそれらの店で家族が食事をとっていることも珍しくないが、しかしここでの家族は、妻が料理をつくり皆で一緒に食べるといった戦後夢みられた核家族の理想からは、こぼれ落ちる欲望によってむしろむすびついている。またロードサイドの本屋やレンタルショップの奥には、かなりマニアックな表現を含んだ本やＤＶＤがしばしば街なか以上に充実している。匿名の消費者として気安く振る舞いがたい商店街とは対称的に、ロードサイドのそうした店は、誰にも知られず、気楽に趣味の追求をすることを人びとに許しているのである。

こうした消費の場としてのロードサイドの成熟を具体的によく示すのが、たとえばヴィレッジヴァンガードの人気である。一九八六年に名古屋の郊外から出発したヴィレッジヴァンガードは、二〇一四年のＹ県への出店を最後として全県を制覇し、郊外のモールを中心に、二〇一五年現在で三九六店舗を展開している。そのおもな特徴は、新刊の代わりに既刊書籍から書店が選んだ本をセレクトショップ的に売っていること、またそれに合わせ雑貨を豊富に取り扱っていることである（菊地敬一『ヴィレッジ・ヴァンガードで休日を』新風舎、二〇〇五年）。近年、出版不況のさなかで逆説的にも、それを克服するために書籍の点数はますます増している。そうした商品の海に飲み込まれ、一般書店ではすぐに姿を消す本も多いのだが、それに対抗してニッチな本やそれに関連する商品を集めることで、ヴィレッジヴァンガードは多くの郊外で発展してきた。

この意味でヴィレッジヴァンガードの急成長は、郊外社会にも画一的な商品では満足できない欲望が育っていることをよく示す。さらにそうして合法の商品が売られているだけではない。ロードサイドにはしばしばホテルも連なり、それを中心として性的商品の非合法、または脱法的な消費も進んでいる。Y市でも同じだが、街なかの箱物風俗店の「浄化」作戦と、一九九九年の風営法の改正によって、デリヘルなどの無店舗型の店が近年急増し、それを前提に性的消費は、街なかの店舗を中心とするものから、郊外の安ホテルを舞台にするものへ急速にシフトしている（中村淳彦『日本の風俗嬢』新潮社、二〇一四年）。それに並行して風俗嬢への応募が増大するなかで、プロになれなった者がネットの掲示板やLINEを通してさかんに参入しているのであり、その結果として、プロと素人の垣根を越える多様な性的な消費が、良くも悪くもロードサイドでは積み重ねられているのである。

このように、ロードサイドでは現在、合法、非合法にかかわらずますます多様な商品が集まり、それがファミリーの枠を超えた欲望を育て始めている。限界はもちろんあるとはいえ、ロードサイドは、既存の欲望を超えたあらたな私的な欲望を追求する実験的なライフスタイルの場をたしかに地方都市に植え付けてきたのである。

消費のユートピア

それだけではない。さらに構造的に重要になるのは、こうしたロードサイドが、消費社会の特有の困難を補ういわばバッファ（緩衝帯）になっていることである。ジグムント・バウマン（伊藤茂訳『新しい貧困：労働、消費主義、ニュープア』青土社、二〇〇八年）は、消費社会化が進むなかで、「あたらしい貧困」が産まれつつあると指摘する。現代社会は、消費をし、自己選択をくりかえしていく能力を、たんに遊びのためだけではなく、コミュニケーションや仕事のためにますます重要な要素としている。しかしだからこそ消費を満足にできないことで、二流の市民として貶められる人びとが増加しているというのである。

ただしそれはバウマンがいうように、グローバルな資本主義が格差を先進国の内外に拡げ、貧困を産みだしているからだけではない。より内在的に消費社会が、そもそも満足に消費できない人びとをみずから産みだす仕掛けをもっていることが見逃せない。高価な商品がモードとして席巻していくごとに、それを買えない人びとも不断に産まれるのであり、逆にいえば、そうして消費から置いて行かれることに対する不安をエンジンとして、消費社会はむしろ正常に稼働してきたのである。

しかしこうした消費社会からの剥奪状態を、ロードサイドは一定程度、緩和する。チェーンストアの並ぶロードサイドでは、飲食物から性的商品に至るまで生活に必要なモノが大量に、また高価ではない価格で並べられているのであり、そこにいけば、大抵の人びとは何かしら興味のあるものを安価に買うことができる。そうした気軽な購買の場を築いているという意味で、ロードサイドは、空間的にも階層的にも都市の消費社会の喧騒から排除された人びとを、再び「消費者」として包摂していく装置として働いている。とくに地方都市の郊外では、しばしば空間的に、既存のきらびやかな消費の場から遠ざけられている。それに対してロードサイドは買うべきものを大量かつ多様に揃えることで、消費社会からの疎外を償う。そこで客は大して金を使うことなく、しかし好きなものを購買できるのであり、それを通して消費社会から金銭的、空間的に排除された人びとも、まっとうな消費社会の一員であることをみずから確認し、また他人にアピールしていくことができたのである。

その意味でロードサイドを、いわば現実化された「フリーミアム」の一種として考えてみる必要がある。クリス・アンダーソン（小林弘人監修、高橋則明訳『フリー：〈無料〉からお金を生みだす新戦略』日本放送出版協会、二〇〇九年）は、デジタルテクノロジーの急速な成長により、金を支払うことをほとんど、またはまったく必要としないフリーミアムと呼ぶべきあらたな欲望の領域が、現代社会にひらかれていることを指摘している。音楽や映像、ゲームなどの情報商品を中心に、金がかからない、そしてだからこそ自由な「消費」の空間が合法、非合法の敷居を越えつくられているというのだが、ロードサイドは、こうしたフリーミアムをある意味で現実化している。You Tubeをみるようにとはいかないが、ロードサイドには安価の食事や中古の衣服など、さまざまなモノが安価に、またいつでも購買可能なかたちで並んでいる。そうしたモノを人びとはわずかな支払いで手に入れることができるばかりか、金を払わずに本の立ち読みや映像の視聴、試食をくりかえし、暇をつぶしていくことさえ許されているのである。

そうしたロードサイドの自由な消費の代表的場となるのが、たとえばイケアでありコストコ——イケアは二〇一四年にY市の隣の大都市に、コストコは二〇一五年に隣の小都市にそれぞれつくられた——である。二〇〇〇年代にグローバルに人気を呼び始めたそれらの商業施設は、しばしばロードサイドに巨大な倉庫のような店舗を建て、自由かつ快適な消費を促す。そこには安価な、しかし世界的なモードを踏まえたモノが並べられているのであり、いわばアマゾンのようなネット上のショッピングサイトを訪れるように——ただしアマゾンの倉庫の労働者のように商品をピックアップすることも求められるのだが——、人びとは自由な消費を楽しむことができる。

それはもちろん極端で、またかぎられた例だが、多かれ少なかれロードサイドには大規模な店が集積することで、消費の擬似的なユートピアが展開されている。バブル期を経つつ日本社会は深く「消費社会」化されていくが、それに応じて逆説的にも、金銭的または空間的にきらびやかな消費から遠ざけられている人びとが、とくに経済的に停滞した地方都市には増加していく。その傷を癒やす装置として、だからこそY市のように九〇年代以降、ロードサイドビジネスはますます活発化していったのである。

ロードサイドのこうした日常をよく描き出している作品として、富田克也監督の『国道20号線』（二〇〇七）という映画が興味深い。国道二〇号線が通る山梨付近の郊外で元暴走族のヒサシが同棲相手のジュンコとただだすごす日々が映画の中心になるが、なかでも印象に残るのが、彼・彼女たちがことあるごとにドン・キホーテやパチンコ屋に通っていることである。

そのうちドン・キホーテは、一九八九年に東京郊外の府中に一号店を開店後、雑多な商品を集める店をおもに郊外で展開していくことで発展したが、そうしてその店が人気を集めたのは、ひとつにそれが消費社会の「豊穣さ」をダウングレードしつつも、手軽に伝えてくれる便利な「ミニチュア」としてあったことが大きかった。ドンキにいけばあたらしい、しかしあまり高くない商品が大量に溢れているのであり、それを探しだし、安価に買うことができる。さらに二〇〇〇年に施行された大店立地法が深夜営業を大規模店にも解禁したことを追い風に、他のライバルの少ない深夜に充実した買い物をドン・キホーテは可能にした（安田隆夫『ドン・キホーテ闘魂経営』徳間書店、二〇〇五年）。そうしてドン・キホーテはたとえ郊外に、また標準的な時間割から外れ暮らしていようとも、消費社会に住むまっとうな住人であることを保証してくれる場を形成している。

　もちろんドン・キホーテであれ、商品購買に金がかかることに変わりはない。しかしその金をもたらす装置もロードサイドには存在する。そのひとつになるのが消費者金融であり、さらにそれさえ利用不可能なものにとってはパチンコである。たとえばパチンコは、不況のなかでも二〇一二年で一八兆円を超える市場規模を誇り、世界のギャンブル市場からみても有数の規模を保っている（古川美穂『ギャンブル大国ニッポン』岩波書店、二〇一三年）。ではなぜ日本では、パチンコがこれほど人気なのか。それを病理といった観点から説明する者もいるが、しかし病理を産む原因としても、パチンコが消費社会のなかではたしている役割について見落とすわけにはいかない。

　まずパチンコは、金なしに、またときには逆に金をあたえてくれながら、「消費」を楽しむことを可能にする。近年、とくに郊外では、カフェやレストラン、託児所さえ併設されたアミューズメント施設化されたパチンコ店の出店が目立つが、そうしたパチンコ店で多くの人びとが、ときには金さえ得つつ、快適な時間をすごしているのである。

　もちろん金を使わないというのは幻想であり、トータルでみれば、パチンコが多くの金を吸い上げていることも公然の事実である。先の古川美穂によれば、愛好者一人あたり平均年間七万七千円の金がパチンコに費やされているという。しかしパチンコのもたらす快楽は、たんに金の多寡にかかわらない。むしろ「消費社会」に対する「勝利」の感覚こそが、そのより重要な快楽の源泉になっていることが大切になる。問題は、どんな人びとであれ、消費社会では望んだ商品が買えないという敗北感をひきずりながら、暮らしているということである。とくに労働に較べ得られる金の少ない中下層的な人びとでは、それが顕著になる。彼、彼女たちは消費社会化された社会を生きながら、しかしそれから拒否されているという二律背反的な状況にしばしば追い込まれているためである。

そうした不満をパチンコは一時であれ、解消する。パチンコは数回に一度としても、たしかに遊びながら金を得ることを可能にするのであり、それによって金を基準とした消費社会の規則をねじ曲げる。そうした消費社会の秩序に抵抗する「挑戦」の手段として、パチンコは大きな人気を集めているのではないか。しかしだからこそ、パチンコをやめることはむずかしい。やめてしまえば、それがただ多額の金を吸い込む消費社会の当たり前の「娯楽」のひとつにすぎないことが、途端にあきらかになってしまうためである。

こうしたドン・キホーテやパチンコを中心に送られる生活を描くことで、『国道20号線』は、ロードサイドが消費社会の一種のユートピアとしてあることをよく照らしだす。ロードサイドは、安価な商品の購買を可能にするだけではなく、消費社会に復讐する（という幻想を買う）機会さえあたえてくれる。金や職さえなく消費社会でマイナーな位置に置かれた主人公たちは、だからこそそこに出入りしつつ、傷を受けたみずからの「尊厳」をなんとか癒していくのである。

ただしもちろんこのロードサイドは単純なユートピアというわけではない。その成功の足場になっているのは、逆説的にも地方都市の経済的な停滞であることも忘れてはならない。ロードサイドで比較的安価に商品が提供されているのは、衰退によってますます低廉化した郊外の土地につくられているからであり、また後に詳しくみるようにそこで働くのが他に働く場のないアルバイトや非正規社員だからである。つまりロードサイドにおける消費のフリーミアムというユートピアは、停滞した地方都市のディストピア的経済的環境を、いわば情報空間における無料のビットのように利用することによって、あくまで維持されているのである。

2　モールの魅力、モードの誘惑

ショッピングモールの出現

ロードサイドはこうして消費の楽しみを、消費社会のなかでますますきらびやかな消費から排除されていく人びとに解放していくことで人気を集めるが、とはいえもちろんそこは万能な場所ではない。最大の問題はロードサイドに、しばしばいつどこにいっても代わり映えのない、いわば「死んだ空間」がつくられていることである。ロードサイドは便利だが、そこに集まる店は大抵決まっているのであり、だからこそわたしたちはロードサイドに胸を躍らせながら出かけることは少ない。むしろロードサイドでわたしたちは、自分が訪れたい店だけを車で直接訪れ、勝手の分かった商品を買うという流れ作業のような行動に留まることが多いのである。

つまりロードサイドには、多数の商店をみて歩き、偶然出会った商品を見比べ買うといった楽しみが欠けている。ただしそれを補う場も現在、ないわけではない。郊外の住宅地に隣接してつくられていったロードサイドに対し、今では郊外のさらにその奥の、住宅地から離れた遠隔地に、巨大なショッピングモールがしばしば出現している。多様かつ多数の店を集めるこのショッピングモールは、さまざまな店を比較しながら、偶然出会った商品を買うというロードサイドではむずかしかった楽しみを、安全かつ快適に提供してくれているのである。

もちろんショッピングモールは、近年、突然現れたわけではない。ショッピングモールの起源としばしばみなされる玉川高島屋ショッピングセンターが、一九六九年に東京二子玉川の駅に近接してつくられたことがよく示すように、多数の店を集める商業施設は郊外だけではなく、そもそも中心街にも多く建てられてきた。そもそも八〇年代までにできた施設をみると、中心地域、周辺地域、郊外地域で、それぞれ四五八店、三一六店、四五二店と、ほぼ拮抗して建てられているのである（「我が国ＳＣの現況」日本ショッピングセンター協会 https://www.jcsc.or.jp/data/sc_state.html）。

しかし注目されるのは、現在、地方都市の郊外に、それとは少しかたちを変えた巨大商業施設が目立ち始めていることである。ＲＳＣ（リージョナルショッピングセンター）やＳＲＳＣ（スーパーリージョナルショッピングセンター）とも呼ばれるこの施設を、ここではそれ以前の「ショッピングセンター」と区別し、「ショッピングモール」と呼び考えていきたい。ひとつにそれは、それが特徴的な形状をもつからである。近年、広大な敷地に、低層で室内型の巨大なモール状の構造をとった商業施設がますます一般化されている。たとえば新規ショッピングモールの平均売り場面積でみても、一九九三年に初めて一万五〇〇〇㎡を越えて以降、一九九九年には二万㎡を突破し、後述する都市計画法の改定が適用される二〇〇八年まで巨大化が進められた。そうした敷地の拡大を前提に、広大な駐車場を備えるとともに、数多くの店を集め遊歩を促す巨大な建造物としてのモールが増加しているのである。

それを可能としたのが、ひとつに立地の遠隔化である。JRが押し進めた駅ナカ・駅ビル開発や、東京の六本木ヒルズや赤坂サカスの建設に代表されるように、たしかに中心地域での巨大開発に近年モード的な注目が寄せられていることも事実である。ただしよりマクロにみれば、ショッピングセンターがますます遠隔地に立地してきたことも疑えない。巨大なモールを建てるためにより安価な土地が求められたのであり、実際、九〇年代から二〇一三年までにできたショッピングセンターをみれば、中心地域に二八二店、周辺地域に四七一店、郊外地域に一三三一店と、先の数字に比べ、中心地から周辺地域、さらに郊外へ立地の比重はあきらかに移っている。

こうしたショッピングセンターの巨大化と遠隔化を引き起こした大きな条件となったのが、先にも触れた大店法の規制緩和や改正である。アメリカからの圧力もあり、大店法が規制緩和されて以降、九〇年代初めには、大規模な店舗の出店が原則自由化された。しかしより注目されるのは、「まちづくり三法」の一環としての、二〇〇〇年から施行された大店立地法（大規模小売店舗立地法）である。大店立地法は中心商店街の活性化のために、大規模小売店（一〇〇〇㎡以上）の建造に際して、交通渋滞や騒音、環境維持に配慮することを求めた。それによって調整のむずかしい中心街ではなく遠隔地へと商業施設は誘導され、その結果、郊外に巨大な駐車場を備えたモールが増大していった。

皮肉にも、それによって中心市街地はますます廃れたが、もちろんこうした状況を、既存の商店街も座してみていたわけではない。その働きかけのもと、中心街の活性化を再び狙い、二〇〇六年に都市計画法が改正され、また大店立地法の指針等が改定される。それによって市街化調整区域等での出店原則禁止が明示され、今度は逆に大規模商業施設は都市中心部にしかほぼ建てられなくなったのである。こうした改正は、それまで中心街の目の敵にされていた大規模商業施設を逆に有益なものと認める画期的なものだったといえる。そうした動きのなかで郊外のショッピングセンターの建設は制限され、その代わりに業界のモードは、エキナカや中心部の再開発によって建てられたタワー型のショッピングモールへと移っていったのである。

ただしその抜け道が、まったくなかったわけではない。ピオニウォーク東松山（二〇一〇年）、イオンモール甲府昭和（二〇一一年）、アピタ西大和店（二〇一三年）、イオンモール東員（二〇一三年）などが典型的だが、規制をくぐり抜けるために、それまで何もなかった都市の外縁に、自治体と協力しつつあらたな街を構成する手法が、近年一般化されている。それを可能にしているのが、土地区画整理事業などによってあらたな造成した街を「中心市街地」として認めさせ、モールを出店させるというアクロバティックな施策である。それは既存の街なかの活性化とはあきらかに矛盾するが、にもかかわらず大都市の近郊で寂れつつある市町村には歓迎された。巨大ショッピングモールの設置は、税収や雇用をたんに拡大するだけではなく、意地の悪い見方をすれば、これまで人口を流出させていた隣接市から客を奪う策にもなる。失うものがもはや多くない地方都市は、そうして近隣都市にギリギリ近づけショッピングモールを建設していくことで、これまで奪われるばかりだった近隣中核都市に復讐を開始しているのである。

それはY市近郊でも同じである。たとえば二〇一四年には、Y市の隣市のT市は、その辺境にあらたに土地区画開発事業をおこない、また全額市の負担でJRの新駅を設置するなどして、東北最大級をうたう延べ床面積六万八〇〇〇㎡のイオンモールを誘致した。二〇一二年には小売業売り場面積が約九万㎡しかなかったT市からみれば、この施設はあきらかに過大だが、Y市に向かって流れていった客を遮断し、さらにY市から客を奪う武器として既存の小売業者もそれを受け入れたのである。

こうした自治体間の競争を背景としつつ、これまでのロードサイドの店舗規模を超えた商業施設が、地方都市の外縁に続々と建造されている。最近では年間一〇〇〇万人規模を集めてようやく一人前のモールといわれるが（『商業界』編集部編『日本ショッピングセンターハンドブック』商業界、二〇〇八年）、そうした恐竜のような施設がますます中心市街地を空洞化させながら、地方都市のかつての外縁に数多く建てられているのである。

しかしではショッピングモールは、なぜそれほど多数の客を集めているのか。ひとつにそれはロードサイド以上に効率的で、楽しく、かつ「快適」な買い物の場を実現しているためといえる。先にみたように、たしかにロードサイドも便利な買い物の場を解放した。少なくとも自動車を使うかぎりで、誰にも会うことなく、また時間に縛られず、店から店へと気軽に購買できる環境をロードサイドはつくりだしたのである。

それに対してショッピングモールは多数の店を集めることで、さらに効率的で、しかも同時に偶然の出会いという楽しみも含んだ買い物を解放した。多数の店が集まるショッピングモールでは、自動車を乗り降りしつつ、駐車場を探し、複数の店を渡り歩くのではなく、ワンストップでさまざまな商品を比較しながら買うことができる。加えてショッピングモールが、買い物を妨害する要素をできるだけ排除した効率的で「快適」な購買の空間を実現していることも重要になる。そこには寒暖の差や雨風、邪魔な自動車、自転車や通行人、客引きや物貰いなど、買い物を妨害する「障害」が存在しないだけではない。カーペット敷で段差なくしかも滑りにくい床面。回り込み、またときにはスロープで上下階に結ばれることで回遊性が高い通路。にもかかわらず空間把握を容易にする多数の標識やメルクマール。余計な外部をみせる窓の不在。休憩用のソファやテーブル、清潔で快適なトイレの充実など、ショッピングモールにはさまざまな建築的仕掛けが周到に施されているのであり、それによって快適な消費のための空間が積極的に実現されているのである。

ショッピングモールはそうしてロードサイド以上に、楽しみながら買い物に集中できる場を提供する。ただし、その場が消費のためだけにつくられていることは、集客のために一方では両刃の刃になることも忘れてはならない。問題は、現実の街がしばしば通勤や通学のためといった多様な目的をもつ人を集めるのに対し、ショッピングモールはそうではないことである。多様な用途をもった通常の街がしぶとく生き延びていくのとは対称的に、消費だけを目的としているという意味で一旦、失った客を取り戻すことはむずかしい。だからこそショッピングモールの栄枯盛衰はしばしば激しい。実際、ネットで話題になったピエリ守山のように、一気に来店者を失ったモールも現れているのである。

だからこそそれを補うために、近年ではたんに物販店だけではない、多様なテナントを集めることに、力が入れられている。映画館やスポーツジム、ミニ遊園地やカルチャーセンターに加え、現在では、教育施設や病院、役所を「キーテナント」とすることさえデベロッパーによって目論まれている。そうして暮らしに必要とされる多数の施設を組み込むことで、ショッピングモールは「公共性」をうたいつつ、現実の街を擬制し、多様な来訪者を集めようとしているのである。

しかしそれが本当にうまく機能するかどうかは、ここでは留保しておこう。販売店以外のテナントや公共施設を集めることは、ショッピングモールのキラーコンテンツともいうべき快適な購買にしばしばダメージをあたえてしまいかねないためである。たとえば多様な施設の混在は、モール全体を間延びさせ、巨大化することで、目当ての商品を求め歩きまわるといった買い物の効率の悪化にしばしばつながる。また採算性のない施設の設置は全体としての管理費を上昇させ、それによってテナント賃貸料を上げることで、各店の商品への価格転嫁を招きかねない。以上のように、多様な店や公共施設の導入は、しばしばの購買の快適さとトレードオフの関係をとるのであり、そのコストをみずから長期に渡ってデベロッパーが引き受ける覚悟があるようにはみえないという意味で、ショッピングモールにとって「公共性」は、今のところ体の良い宣伝文句に留まっているとみておいたほうがよい。

街の廃墟

それでもなお現在は、多くのショッピングモールが多数の商店を集積し、大量の客を引き寄せている。実際、近年では中心街にない店が、町外れのモールにみられることも珍しくない。たとえば久繁哲之介はタワーレコードやスターバックスが、多くの地方都市では中心街にはないにもかかわらず、いち早くショッピングモールのなかに出店していることを確認している（久繁哲之介「地方都市で進む「消費の郊外化、在宅化」」『Urban Study』Vol.44、二〇〇六年）。ショッピングモールの魅力は、ひとつにはそうして最新の商店を多数揃え、東京と同様の消費環境を提供するその「飛び地」性にあるといえる。

ただしより正確にみれば、きらびやかな店があることだけが、モールの魅力になるわけではない。それはショッピングモールの「内容」にすぎず、そもそも栄えた店も、時がたった場合にそのまま集客力を保つとはかぎらないためである。たとえば中心商店街のデパートも、かつては最新の店を並べ、地方都市で特別の人気を集めていた。しかし今ではそれらの商業施設の多くは、古ぼけた商店や時代遅れの店ばかりが残ることで、新規の顧客を引き寄せる力を失っている。

この意味でショッピングモールの魅力を、多数かつ多様な商店があるという「内容」面からだけではなく、それがつねに最新の店や設備を揃えるという「形式」から考えていく必要がある。近年ショッピングモールは、話題のテナントを集め、またモールの細部のリニューアルをくりかえしていくことに力を注いでいる。そうして時代にキャッチアップするスピードこそ、ショッピングモールの本質的な魅力になるのであり、だからこそ逆にそれができないモールは、客を集められずしばしば途端に「廃墟」になってしまうのである。

ショッピングモールでのこうした素早いテナントの更進を可能にしているのは、法的には二〇〇〇年に導入された「定期建物賃貸借契約」である。そもそも商店街やこれまでの百貨店では、テナントを頻繁に入れ替えることはむずかしかった。「普通借地権」を基本とした百貨店や商店街の店貸しでは、賃借人の権利が強く保証されるからである。そうした契約では、建物の建て替えといった特段の事情がないかぎり、百貨店や地主はたとえ経営上望んだとしても、契約の破棄を一方的に求めることはできなかったのである。

形式は異なるが、ロードサイドでも各々のチェーンストアを容易に変えられないことでは同じである。先にみたように通常、ロードサイドでは、チェーンストアが土地を買うことなく、その代わりに店舗の建設協力費を地権者に貸す「オーダーリース」と呼ばれる契約方式が一般的にはむすばれる。それによって土地の購入費を省き、素早い出店と場合によっては撤退がおこなわれるのだが、しかしこの場合にもあくまで一五年から二〇年といった期間が、契約の前提になる。建設費を回収する期間、チェーンストアが撤退しては地主が困るのであり、だからこそそれが回収されるまでのあいだチェーンストアは営業を続け、それができない場合には補償金が支払われることが普通とされているのである（平山光『ロードサイドショップ　開発・賃貸借の実務』日本実業出版社、一九九五年）。

百貨店や商店街、ロードサイドでは、そうして素早い店の入れ替えがむずかしいのに対して、二〇〇〇年に業界主導のもとで改正された借地借家法では、商業施設側がテナントを入れ替える自由度が大幅に高められた。「定期建物賃貸借契約」によって、（通常六年とされる）短い期間を基本として、テナントをその都度入れ替えることが可能になったためである。たしかにそうした契約への切り替えには莫大な保証金の返却が必要とされ、またそのために紛争——新宿の駅ビルのビア&カフェBERGの場合のように——も引き起こされた。それでもなお大資本系列の大手のモールは、この契約をますます導入している。その契約を前提に、デベロッパーはモールを管理する初めて統一的な主体になることができたのであり、その利益は、他に代えがたいものだったのである。

話題のテナントを集め逆に人気を落とした店の退店を求めるこのスピードこそ、百貨店やコードサイド店にないモールの重要な特徴になる。ではなぜそもそもあたらしい店がつねに立ち並んでいることが商業施設の魅力になるのだろうか。それを考えるためには、モードを次々と変える消費社会という現実のなかをわたしたちがすでに深く生きていることを理解しておく必要がある。巨大化した産業機構を背景に、この社会では、あらたな商品がひっきりなしに産まれ、その追い風のなかでは、商品は魅力を保ったまま静止してはいられない。商品は素早く陳腐化されるためであり、だからこそ第1章でみたように、大量に新築の住宅がつくられるなかで、現代の地方都市には使われない「空き家」も溢れていたのである。

この消費社会と歩調を合わせる最適の商業形式として、ショッピングモールは成長してきた。そもそも次々とテナントを入れ替えることは、他の商業施設では、法律問題以外にもむずかしい。たとえば近年、地方都市では自治体が率先し、街の地元業者を集めた商業施設がしばしばつくられているが、今後こうした商業施設がうまくいくかには疑問が残る。キーになるのは、不人気店をどれほど非情に切ることができるかである。初めは良いとしても、時間が経ち消費者に飽きられた店を入れ替えることは、地元に密着し、また地元から援助を受けた商業施設では相当むずかしいのである。

それに対してショッピングモールは、テナントを自由に入れ替えることによって、とくに地方都市で欠かせない場所になっている。もちろん都心部でも大型の商業施設は人気であり、実際、二〇〇六年の都市計画法の改正以降、駅ナカや都心部を再開発したモールに注目が集まっている。しかしそれらの商業施設は、多くの場合、街の後追いをし、またそれゆえ街に競合するものに留まるという限界をもつ。街とは何かといえば、ひとつに不断の新陳代謝によって魅力を保つ場といえよう。東京の下北沢や吉祥寺などが典型的だが、魅力のない店が廃れ代わりにあたらしい店が産まれることで、街はつねに人びとを引きつけてきた。そうして産まれた有名店を後追い的に取り込むというかたちで、都心部のショッピングモールはしばしば街に寄生しているのである。

それに対して地方都市の特徴は、モールに活力をあたえ、ときには対抗するこの街が、すでに力を失っていることである。地方都市にも商店街はたしかに残っているが、それらの多くが新規参入による競争を排除することで、すでに衰退に向っている。シャッターをおろした空き店舗や、採算を度外視した昔ながらの店が商店街には目立つのだが、そうした店の多くは高度成長期に蓄財することですでに商業から関心を失っているのであり、かといって高くはない賃貸料をもらってまで他の店に場所を譲るにはしばしば地元に愛着をもっている（木下斉、広瀬郁『まちづくり：デッドライン：生きる場所を守り抜くための教科書』日経BP社、二〇一三年）。さらには、高い組合費や、商店街の厄介なしがらみ、また皮肉にも自治体による補助金支給のせいもあって、多くの商店街は次々とあらたな店を産みだす新陳代謝の能力を失っているのであり、それゆえY市でもそうだが、活気のある店はむしろしがらみの少ない商店街の外部に孤立してつくられていることも多いのである。

だからこそ地方ではショッピングモールが、特別の役割を担う。モールは競争と新陳代謝を戦略的に実現することで、地方都市で失われつつある街の賑わいをいわば人為的に補う。この意味で近年の郊外型のショッピングモールの人気は、逆説的にも地方都市の衰退と深くむすびつく。①地方都市の地価の下落が巨大な店の建造を容易とすることや、②税収不足に悩む地方自治体が出店を熱望することに加え、③地方都市では競争する商店街が弱体化していることが、モールの人気を後押しする。たんに既存の商店を潰す「加害者」としてのみモールを考えてはならない。地方都市では商店街を中心にすでにあらたな店の出店競争は少ないのであり、そのなかでショッピングモールは、次々とあらたな店を誘致してくることで、都市の賑わいを補う。いわばそれは都市にあるはずの新陳代謝を人為的につくりだし、そうして商業的な「廃墟」を覆い隠す装置として、中小都市にむしろ必要とされているのである。

だからこそわたしたちもショッピングモールに赴き、一時的にであれ自分の住む街の衰退を忘れようとしているのだろう。ただしこのショッピングモールが、現実の街と比べて「廃墟」

から遠いといえないことも、最後に確認しておく必要がある。現在、全国で三〇〇〇店を超えるショッピングセンターが立ち並んでいるが、そのなかでは実際、潰れる店もすでに目立ち始めている（『SC白書　2014』日本ショッピングセンター協会）。①ネットの台頭により小売業のシフトが進んでいることに加え、②テナントの獲得競争が激しくなっていることがその大きな原因である。ショッピングモールはテナントを戦略的に入れ替えることを魅力の核心とするが、しかし過当競争の時代には、人気のある店舗を発掘し、呼び寄せ、留まってもらうことは容易ではない。「定期建物賃貸借契約」は、テナント側にも他のショッピングモールへの移動を容易にするからであり、その結果として雪崩現象的にテナントから逃げられ廃墟化するショッピングモールも、とくに人口減少地帯を中心として現れ始めているのである。

だからこそ業界は、アウトレットモールや人気のテナントを核としたいわゆるパワーセンター型の商業施設を仕掛けるなど、次のモードを探すことに余念がない。ただしデベロッパーからしてみれば、撤退は計算外の出来事ではない。そもそもモールは多くの場合、短期のうちに投資が回収されることを前提してつくられている（SC経営士会『SC経営士が語る　新・ショッピングセンター論』繊研新聞社、二〇一三年）。モールは借地に建てられ、その建造物も建築と破壊が容易なように単純な一層または二層の構造として建てられることが多く、そうしてしばしば一〇年から一五年で投資が回収可能であるように周到に設計されているのである。

この意味で九〇年代の大店法改正後建てられたモールの多くは、償却を終え、いつ廃棄されてもおかしくない「死後の生」の段階にすでに差し掛かっているとさえいえる。アメリカでそうであるように、過当競争やネットショッピングの興隆のなかでモールがいずれ間引きされていくことはおそらく避けられない運命なのだが、それを前もって織り込みつつ、ショッピングモールは、いわばいつ消えても不思議ではないあらかじめの「廃墟」として、地方都市に立ち並んでいるのである。

だとすれば業界にとって撤退は、むしろ織り込み済みといえるが、一方で取り残される地方都市にとっては、その被害は甚大である。巨大なショッピングモールが近隣の中小の店を駆逐し復活を許さないという「焼き畑」的問題に加え、近年のように物販店舗だけではなくさまざまなサービスや公共施設の集積地となっているなかでは、ショッピングモールの撤退が地域の生活にもたらす影響は大きいからである。ショッピングモールが撤退した後、そこに残された公共施設、あらたにつくられた道路や駅、または住宅地はいかにして生き延びていくのか。その答えをみつけられないまま、地方都市は商店街とモールというふたつの「廃墟」に向かう商業形態に挟まれつつ、見通しのつかない消費の現在に立ちすくんでいるのである。

3　労働の流動化と「誇り」

エッジ・シティの出現

地方都市の郊外やその外縁にはこうして多数のチェーンストアやショッピングモールが立ち並び、いつまでも続くかはわからないとしても、今はなお消費の快楽を地方都市の人びとに解放している。しかもそれらは今では消費の場として、地方都市で欠かせなくなっているだけではない。それらの場は、近年では市街で減少した雇用を補うことで、地方都市でますます大きな役割をはたしているのである。

都市の従来の外縁にこうした仕事の場の成長がみられるのは、もちろん日本だけではない。ジョエル・ガローは、アメリカの戦後の都市周縁部の歴史を、①第二次世界大戦後に居住地としての郊外が形成されたことを踏まえ、②一九六〇、七〇年代にはモールを中心に商業地として郊外が再編されると整理している。さらに、③八〇年代以後には、企業まで郊外に移動するというのであり、そうして働く場として既存の街に対抗的な力をもつまでに成長した都市を、ガローは「エッジ・シティ」と呼ぶのである（Joel Garreau, Edge city : life on the new frontier, Doubleday,1991）。

アメリカに数百あるといわれるこの「エッジ・シティ」を、日本にそのまま当てはめることはたしかにむずかしい。九〇年代に、郊外の発展期と経済の衰退期が重なったこともあり、大企業が郊外に移るという現象は日本では、一九九四年に東京本部を多摩に移したベネッセなどを除けば一般化しなかった。実際、厳密に指標をとれば、ガローのいうように自立的な衛星都市があらたにできたという事例は、日本にはほとんど確認されないともいわれるのである（独立行政法人労働政策研究・研修機構『都市雇用にかかる政策課題の相互連関に関する研究』二〇〇六年）。

ただし日本でも、アメリカのようにあらたに市をつくるというかたちではなくとも、郊外やその外縁に発達した住宅地や商業モールが雇用の場を拡げていることは同じである。とくに中小都市では、そもそも後継者難から農業の力が失われていることに加え、円安の影響で工場の海外移転が進んでいることで、これまで街を支えてきた産業の空洞化が顕著になっている。それとは対照的に、外縁部に拡がった郊外が、あらたな雇用の場として大きな比重を占め始めているのである。

まず拡大が目立つのが、大規模化した小売業である。ロードサイドに位置する中規模店やショッピングモールが、他の産業が崩壊しつつある中小都市では、代わりに多くの雇用者を引き受けつつある。たとえばSC協会の調査によれば、二〇一一年に開業したショッピングセンターは平均一六〇八名をあらたに雇用し、そのうち地元からの雇用者が六五・二％を占めていたという（篠原一博「SC業界の変化と、今後の展望」『SC Japan today』四六〇、二〇一三年）。

それはY市でも同じである。図27に示されるように、Y市の小売店総体では雇用者は、一九

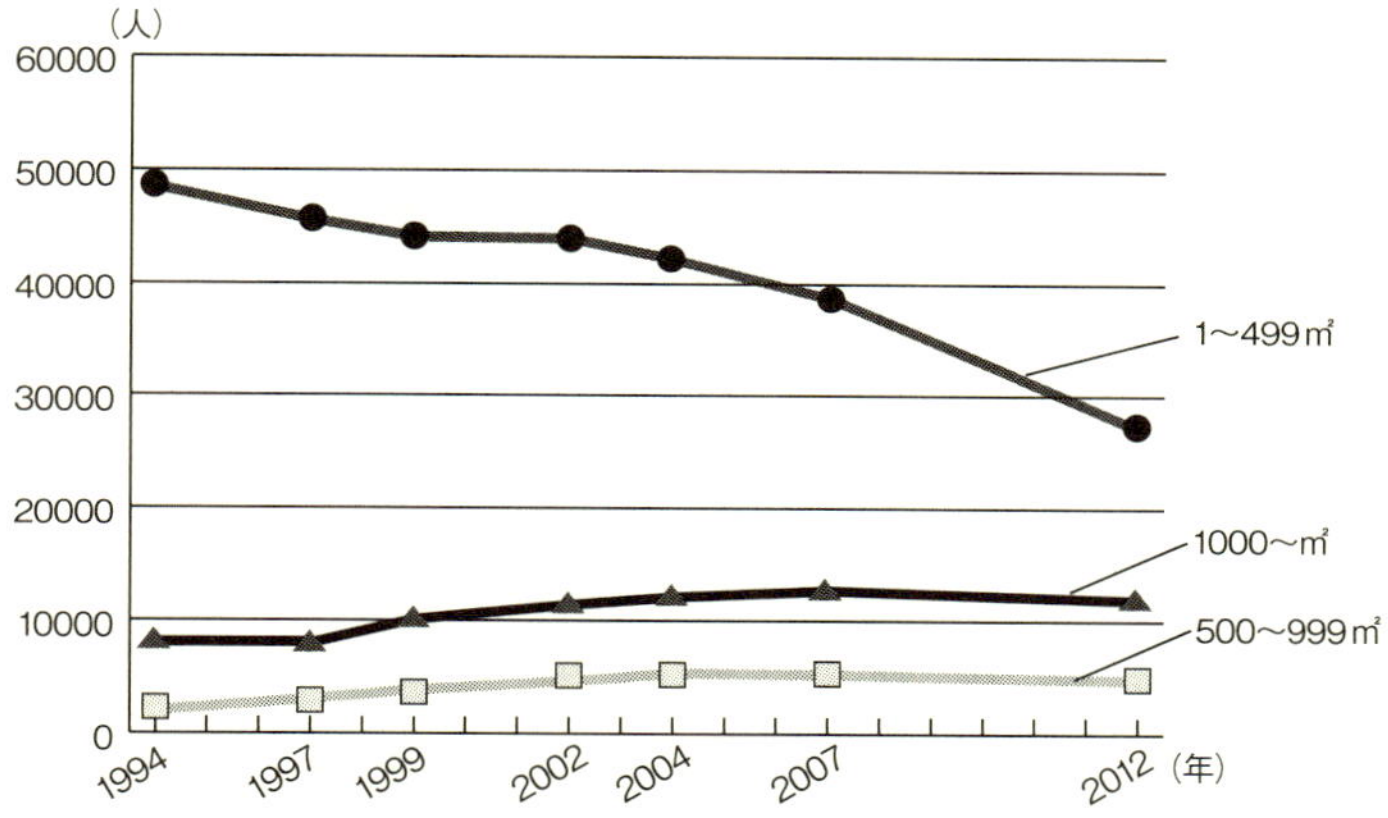

図27　小売店店舗面積別従業員数：山形市統計書

九四年から二〇一二年まで一万五〇〇〇人近く減少しているにもかかわらず、大規模小売店で働く店員はむしろ増加している。五〇〇㎡〜一〇〇〇㎡未満の店では同期間で二六二九人、一〇〇〇㎡以上の店では三六三七人、雇用人数が増えたのであり、その結果、今では大規模商業施設は、中小商店に匹敵する労働者を雇っている。

こうした小売業に加え、さらに広い意味での生活サービスにかかわる労働者の増加も目立つ。たとえばＹ県では二〇〇二年から二〇一二年で、雇用者総数は三九万人から三七万人へと減少したにもかかわらず、医療・福祉業で二万人を超えた雇用者が増えたことを筆頭に、宿泊業、飲食サービス業で六〇〇〇人近く、不動産業で二七〇〇人、運輸業で一九〇〇人の雇用の拡大がみられたのである（就業構造基本調査）。

これらの業種の大きな共通点は、その活躍が近年、郊外やさらにその奥の外縁地帯で顕著なことである。郊外の住宅・ロードサイドビジネスの開発を担う不動産業に加え、物流業も高速道路網の発達を前提に市の外縁部での展開が目覚ましい。混雑した中心市街地を迂回し、郊外の商業地や住宅地に直接商品を届ける流通の回路が、市のかつての外縁部で成長しているのである。実際、Y市でも市の北部のバイパス沿いに、すでに一九七三年には大型中央卸売市場が、続けて一九七四年には将来の高速道路の開通を予定し、市の北東部に六〇万㎡を超す規模の流通団地がつくられ、いまなお流通の拠点を形成している。

加えて近年、医療機関の市中心部からの移転も目立つ。全国の自治体を対象におこなわれた調査によれば、八〇年代以降、文化施設に並び、病院を市の外縁部に移転するケースが頻繁にみられた（図28）。病院や社会福祉施設等の公共共益施設は特別の開発許可が必要とされないこともあって、膨大な駐車場の整備が容易な新規開発地に安易に移されることが多かったのである。実際、Y市でも県立病院が二〇〇一年に市の北外縁部に移動したことを一例に、多くの病院の市街地からの移転が進められている。さらに近年では郊外に中小の事務所を構える介護業も増え、こうした業者は郊外に位置しつつ同じく郊外の住宅までサービスを届ける、いわば既存の市街地をバイパスしたビジネスモデルをとり始めている。

最後にこれらの産業の展開を前提に、近年では飲食宿泊業の市外縁部における発展も著しい。Y市でも従来のような団体旅行者をおもな客とした大型の宿泊施設や飲食店の需要が落ち込む

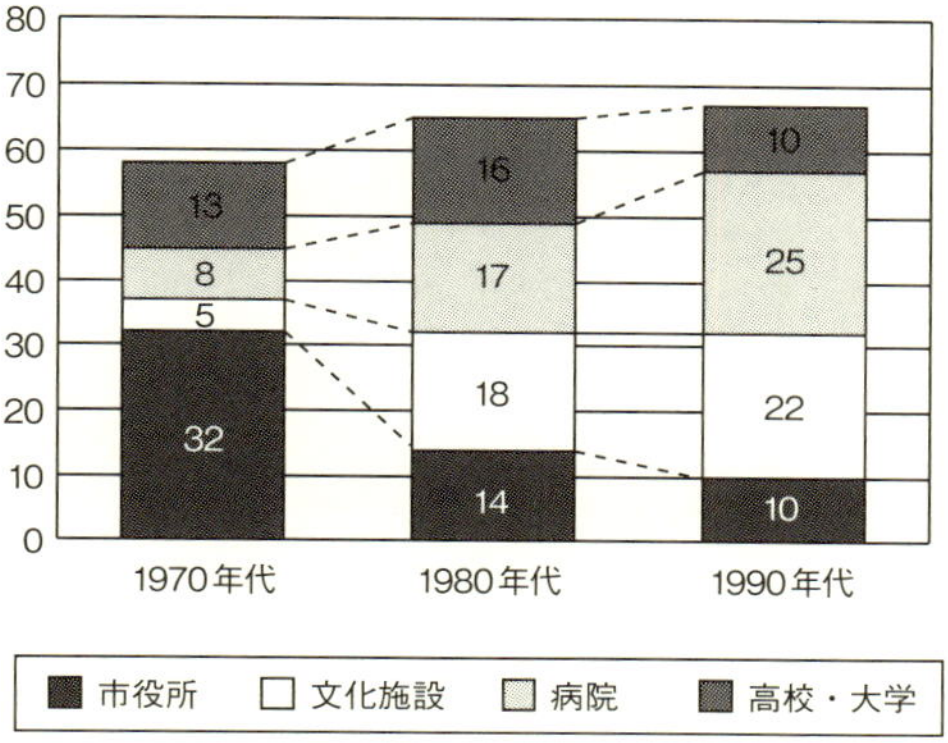

図 28　公共公益施設の郊外移転状況：「中心市街地再生のためのまちづくりのあり方について．アドバイザリー会議報告書」より抜粋

一方で、ロードサイドに位置するレストランのように、郊外で働き、暮らす人に向けた飲食サービス業がますます厚みをなしている。それを一例として「地域内需的」な購買力を前提とした飲食宿泊業が、地方都市の郊外ではいっそう大きな力を占め始めているのである。

以上のように地方都市では、市の外縁や郊外で小売のみならず、流通や医療、または飲食にかかわるあらたな産業の展開がみられ、それがいっそう大きな雇用の受け皿になっている。そもそもこれまで農業は新規就業者が極端に少なく、また製造業も自営業や家族的な中小企業が多かったという事情から、地方都市にはかならずしもひらかれた雇用市場が築かれてこなかった。だからこそ若年層を中心とする人口流出も目立ったのだが、それに対して、現在では市の外縁や郊外に位置する商業施設や医療機関、レストランや流通基地がますます多くの労働者を新規に受け入れている。それが男女問わず人口流出を抑える力にもなっているのであり、そうしてあらたな雇用者が流れこむことで、今では地方都市の外縁部は、たまに消費のために訪れる場に留まらず、多くの人びとが暮らし、働き、または病み、死ぬ、総合的な生活の舞台へと変貌しているのである。

ローカル経済で働く

だからこそいまでは地方自治体も他の自治体を出し抜いてまで、巨大な商業施設を誘致することに余念がない。しかしそうして拡大しつつあるあらたな雇用の場に、問題がないわけではない。労働の質ということでみれば、そうした場でかならずしも安定した仕事が提供されているとはいえないためである。

そもそも大量の若者を輩出してきたことを代償として、地方都市での労働環境はこれまで比較的安定してきたといえる。①農家を含め一定の自営業者が残り、②地元に根を張る中小の企業が公の補助を受けつつ一定数存在してきたこと、さらに、③国庫からの補助で成り立つ自治体や教育機関などの公共サービスが相対的に大きな規模を占めてきたことで、地方都市に残る者に対してはそれなりに優遇された労働環境が提供されてきたのである。

実際、Y県でも雇用は相対的に安定しており、労働力調査によれば、完全失業率も一九九七年以降二〇一四年まで平均三・五〇%と、全国平均の四・四七%を大きく下回っている。さらに労働の内容をみても、Y市では非正規社員が雇用者に占める割合は、二〇一二年で三三・一％と全国の三五・八％と比較しても低い。この傾向は女性においてより目立ち、全国での女性の非正規率が五五・七％であるのに対し、Y市では五〇・八％に留まっているのである。

もちろんこうした傾向を、もろ手を挙げて賛美することはできない。失業率の低さや正社員率の高さは、労働の厳しさによっておそらく一方では支えられてきたためである。実際、Y県では賃金は目立って低く――二〇一四年の給与額で全国では四二位（賃金構造基本統計調査）――にもかかわらず労働時間は長い――二〇一一年で全国三位（毎月勤労統計調査）――。そうした劣悪な労働を強制する家族労働的、または中小企業的構造のなかで、職場の自由な選択や転職がむずかしいことを代償に、あくまで雇用の「安定」は維持されてきたのである。

とはいえ、それでも労働環境の安定が、地域の生活をまがりなりにも「豊か」にする力になってきたことは否定しがたい。地方都市での賃金の低さは、住宅を中心とした物価の安さや、多世代で同居しつつ共働きで複数の給与口をもつことで部分的には贖われる。実際、Y県は持ち家世帯率が七六・七％（二〇一三年）で全国三位と高く（住宅・土地統計調査）、また共働き世帯率も五五・七％と、福井に続いて全国二位と高い（二〇一〇年国勢調査）。しがらみは大きいが、その分、安定した家族生活を前提として、本書の冒頭でみたように、実際、Y市では大都市以上に活発な消費がくりかえされてきたのである。

しかし問題は、地方都市における労働環境のこうしたまがりなりにもの「安定」が、近年徐々に掘り崩されていることである。たとえば非正規社員率でみても、現在では大都市ばかりが高いとはいえない。就業基本構造調査では二〇一二年の非正規社員率は全国で三八・二％――統計方法のちがいから、先の労働力調査の数字とは異なっている――になっているが、それは東京二三区の三一・〇％を大きく上回っている。加えてこの全国水準をさらに超える県庁所在地や人口三〇万人以上の都市は一六市を数えるが、このなかには札幌、京都、福岡といった地方大都市も含まれる一方で、船橋、町田、豊中などの大都市近郊部や旭川、長野、宮崎、那覇などの地方中小都市がそれ以上に目立つのである。

そうして大都市近郊部や地方都市で近年、非正規率が高くなっている原因として、これまでみてきたような市の外縁部におけるあらたな労働の場の拡大を見逃せない。実際、そうした広い意味でのサービス産業での非正規の率は高いのであり、たとえば二〇一二年でみれば全国の非正規社員の割合が三八・二％だったのと較べ、宿泊業・飲食サービス業では七三・三％、卸売業・小売業では五〇・〇％と非正規社員に頼る割合がかなり大きくなっている。また医療・福祉業では、訪問介護事業で六九・二％、運輸業・郵便業では郵便業で五四・六％、倉庫業で四九・四％など、非正規率の高い業種が含まれ、それがそうした業種における非正規率の近年の拡大に一役買っている（就業構造基本調査）。

ではなぜ近年、こうした仕事の多くで、非正規の雇用者が増大しているのだろうか。その原因のひとつになるのは、まず規制の緩和である。大店法等の改正が重ねられた小売業や、一九

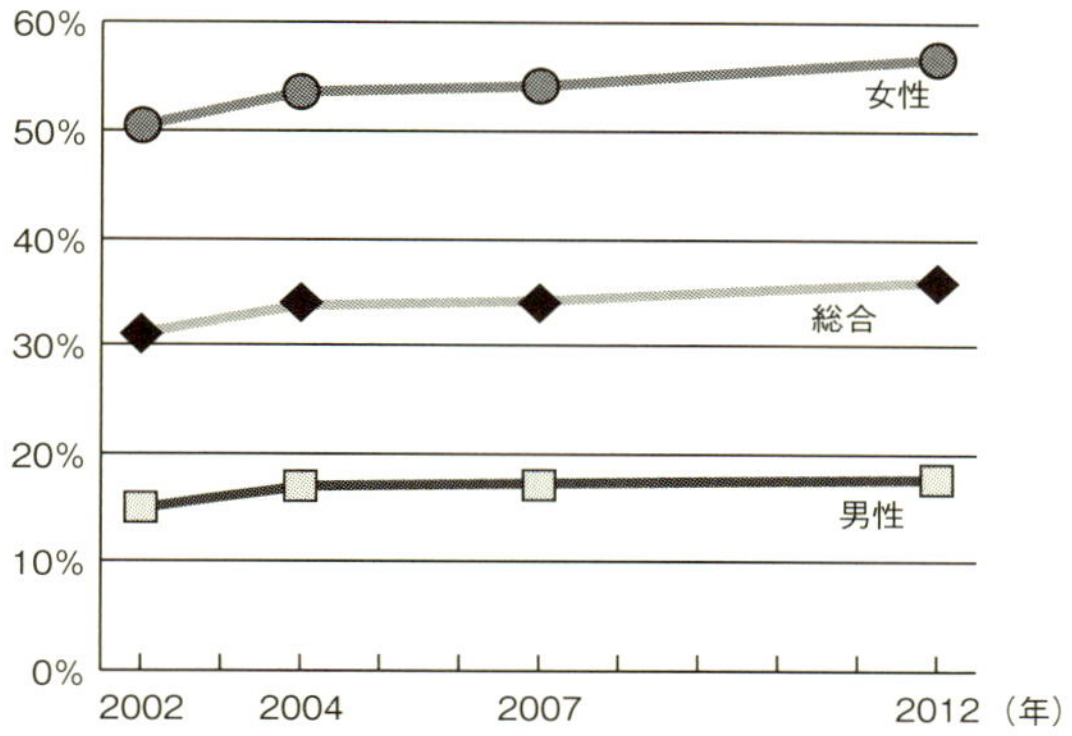

図29　Y市小売業従業員　パート・アルバイト率：山形市統計書

九〇年に物流二法が施行された運輸業が代表的だが、九〇年代以降、規制緩和によって多くの業種で競争が激化し、そのしわ寄せが若年層を中心とした多くの雇用者の雇用待遇に及んでいるのである。

しかしそれだけではなく、それらの業種で、消費社会化された市場への対応がよりいっそう要請されていることも問題になる。たとえば図29に示されるように近年Y市の小売店でも、パート・アルバイトとして働く者の割合が上昇している。それはそこで多くの若年の労働者が働いているからであるが、同時にロードサイド店や、ショッピングモールのテナントでは、長期的な雇用がそもそも約束しがたいことが問題になる。先にみたようにとくにモールでは、変わりゆくモードにキャッチアップするために、店の新陳代謝が人為的に推し進められている。その意味で店がいつまでその場所にあるか誰にもわからないのであり、だからこそ本部の管理職的立場の雇用者以外の現地のスタッフに、長期的な雇用を約束することはそもそも不可能とさえいえる。

問題は、こうして郊外を中心に非正規的な労働が増大することで、これまで維持されてきた地方都市の安定も脅かされていることである。その一端を示すのが、地方都市内における格差の増大である。これまで大都市と地方との格差がさかんに論じられてきたことに較べ、地方内部での格差はあまり問題とされてこなかった。それはそもそも地方内部での格差が目立たなかったためであり、実際、一九九九年にはジニ係数が〇・三一四 数値が一に近づくほど格差が大きいことを示す——を超える県は、島根と徳島、高知、福岡、沖縄の西部五県しか存在していなかった（消費実態調査）。

しかし近年、地方での格差は急速に目立つものになっている。たとえば二〇〇九年には東京のジニ係数は〇・三一〇へとむしろ低下したが、逆に東京を超える格差の拡がる県は、青森、岩手、福井、山梨など北部、中部の県を加えた一四県に拡大し、また震災のあった宮城（一・一六倍）は別としても、大阪や富山や大分など一〇年間で一割以上、ジニ係数が上昇した県もみられる。Y県も格差の急上昇がみられた県（一・一〇倍）のひとつであり、とくに勤労者の年間収入を基準とすれば、その格差は近年では三大都市を超えるまでに急上昇している（図30）。それにかんしては複雑な要因が考えられるが、郊外でサービス業を中心とする非正規労働に就く若年層が拡大していることをひとつの原因として無視するわけにはいかない。

こうした非正規化の拡大に伴う格差の激化は、結果として、さまざまな歪みを地域にもたら

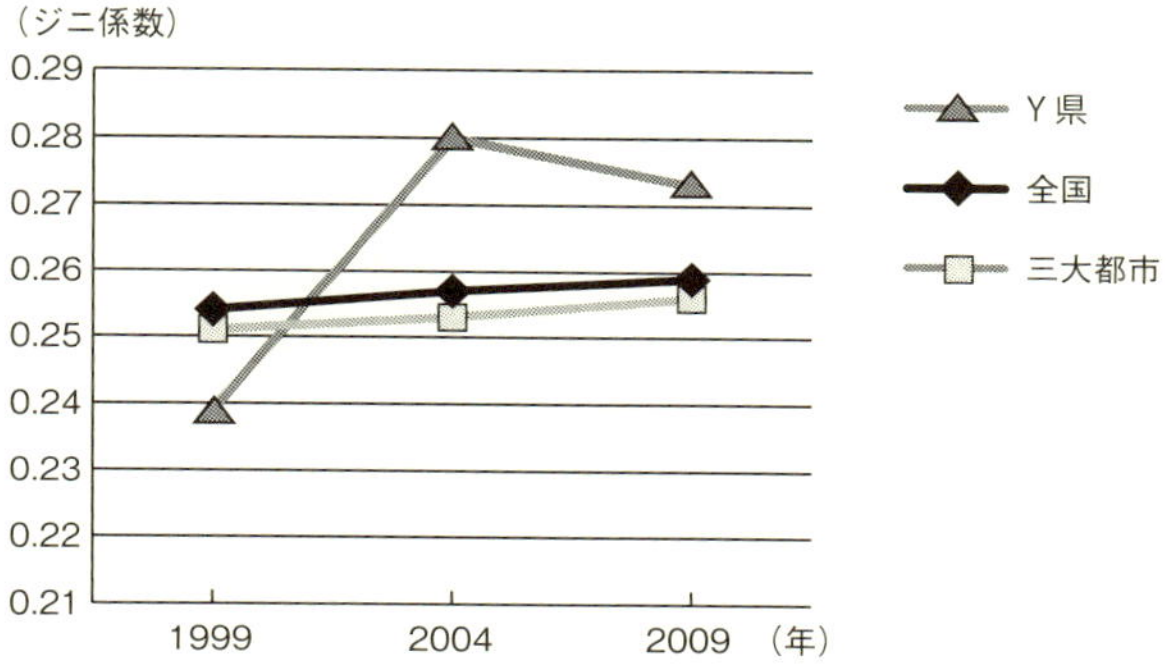

図30　勤労者年間収支の格差：全国消費実態調査

している。たとえば先にみたように、移動の階層化が進んでいることも、そのひとつの余波として考えられる。格差の拡大は、地域のなかでも「移動できる人」と「そうでない人」の壁を高くし、後者をカースト的な秩序のなかから出がたくしているのである。

　また未婚率が上昇していることも、目を引く。近年、大都市以外の県でも未婚率の上昇が目立っており、たとえばY県でも全国よりいまだ少ないとはいえ、未婚率の上昇が八〇年代後半以降、著しい。とくに男性の生涯未婚率（五〇歳時の未婚率の割合）は、一九八五年の二・四七%から二〇一〇年の一八・七一%まで、七・五倍以上も上昇——女性は二・九一%から六・八七%まで二・三六倍——している。こうした変化には、若年層のライフスタイルの変容や、ベビーブーマーの結婚市場への参入——この世代を境に少子化が進むために、とくに若年女性を求めようとする男性の未婚率が高くなる——の影響を見逃せないが、それとともに、格差の拡大にともなう金銭的不如意や労働の不安定によって、結婚できない、または選ばれない男性人口が増加していることも大きな原因になっていると考えられる。

以上のように非正規化に伴う格差の拡大は、移動の階層化や未婚化といったかたちで、地域に大きな歪みをもたらしている。ただし一方では、労働環境の変化をただ悲観的なものとみることもできない。まず正社員の比率の低下そのものを、批判することはむずかしいからである。実際、年功序列や終身雇用を前提とした正社員化は、企業にとってコストがかかるだけではなく、雇用者の不平等を助長するものとして社会的公正に反する部分をもつ。それは若年層や、転職をくりかえす者に不当に低い給与を強制するからであり、逆に非正規社員や派遣社員の増加は、若年層や子育て世代、高齢者に対して多様な働き方を拡大する可能性をもつ。残業を拒否できず、また転職もしがたい正社員に対し、非正規社員のほうがしばしば気楽かつ自由な働き方を選択できることさえ、たしかにみられるのである。

もちろん現在のままで、非正規の労働者を増やすことがよいというわけではない。戦後日本は年金や退職金、福祉などのセーフティネットで、企業の自発的な施策に頼るモデルを構築してきた。企業が勤労者福祉の大きな部分を担ってきた。それゆえ企業間や、または正規／非正規の労働者間で、給与以外の差も大きく、それが人びとに大企業での職や正社員にしがみつかせる主因になっている。だからこそ同一労働同一賃金の原則の徹底に加え、企業に依存しない保険や年金制度や、生活保護等のセーフティネットの拡充／再編によって、企業の枠を超え、雇用者の生活を安定させる施策が必要になる。だがそのために求められる変化は、正社員の特権を維持することとはむしろ逆に向かうものだろう。企業に従属しない非正規社員にも何らかの仕方で、正社員の特権が分けあたえられなければならないのであり、そうして非正規労働者の待遇が改善されることをあくまで前提とすれば、正社員の比率低下は一概には悪いものとはいえないのである。

それを夢物語とみる者もいるかもしれないが、そうとはいえない。地域経済のなかで将来、非正規的な職を取り囲む環境は改善されるとする見方もあるからであり、たとえば冨山和彦(『なぜローカル経済から日本は甦るのか：GとLの経済成長戦略』PHP新書、二〇一四年)は今後、グローバルな挑戦をおこなう世界企業と、地方を主な舞台とするローカルな企業が担う経済へと、日本経済はますます分断されていくとみる。後者をおもに担うのが小売や飲食、交通や医療などのサービス産業であり、これらの職で雇用がますます流動的になっていることは、これまでみてきた通りである。

しかし冨山によれば、だからといって地域経済の未来は暗いものとはいえない。これらのサービス業は地域に密着するという意味で、グローバル資本が手をだしづらいものであり、さらに今後、少子化が進むなかで人手不足も現実化すると推定されるからである。結果、地方の労働市場は売り手市場化すると予測されるとさえいう。だとすればそれによって賃金の一定程度の上昇がみられ、労働環境が改善されることも充分、想定可能である。

以上、まとめるならば、働く場が都市の外縁に移動するとともに、サービス産業への依存がますます高まることで、今後、地方の職の非正規化が進んでいくことはたしかに止めがたい流れといえる。ただしそれはかならずしも暗い未来を意味しない。その結果として、少なくともこれまでのパート労働者やアルバイトからみれば、より割に合った、また自由で平等な労働環境がつくられることも考えられるためである。

もちろん日本の企業は、たんに働く場として社会的に役立ってきたわけではない。職場のつながりは、高度成長のなか失われていった家族や地縁的な関係を補う役割をはたしてきた。そうした関係は雇用の流動化によって弱められざるをえないのであり、それを補うレジャーや教育の場を地方都市ではこれから拡充する必要がある。とはいえ職場の解体は、それ自体としては、悪いことではない。残業の強制や私的生活まで縛る慣行から解放され、さらに嫌な場合には職を変える自由が、地方都市にも解放されることを、一方でそれは意味するためである。

そのはてには、雇い手をもたない働き手の姿さえ想定できる。現在、特定の企業に従属せず、仕事ごとに請け負うフリーランスという働き方が一定の注目を集めている。それがどれほど日本に定着するかは分からないとしても、そうした人びとが増えてくれば、そもそもあえて大都市、また地方都市でも中心地で働く必要性は少なくなる可能性さえある。自分が自分の雇い手になることで、地方都市の郊外の自宅やロードサイドのファミレスで仕事をする人びとも、数は少ないとはいえ、たしかに現れ始めているのである。

消費社会と誇り

そうした極端な労働の未来図は別として、ただしそれで問題がないかといえば、そうではないだろう。そもそも労働は、貨幣や職場のつながりがあたえられれば充分満足されるというものでもない。一日のうち従事されるもっとも長時間の活動として、労働には一定のやりがいや「誇り」が求められる。その源泉になる「社会的承認」を得がたい労働に、多くの人は少なくとも長期のあいだ、耐えることはむずかしいのである。

それでは地方都市で増加しつつある非正規化すると同時に地域に密着したサービス産業で、そうした「誇り」はあたえられるのだろうか。先にも触れた冨山和彦はそうだという。賃金上昇の見込みからだけではなく、地域に密着し貢献することでそれらの仕事は、労働者にむしろ「挟持」をあたえると冨山はいうのである。

しかしそれはかなり楽観的な見方であるように思われる。たとえば、冨山は自分が経営に携わる地域のバスの運転手を例にだしつつ、「地域の人びとの足になっていることに誇りをもつことが重要である」というが、しかし同じ本で再三指摘されるように、ではなぜそのバスの運転主のなり手が少ないのか。それは説明されるように、地域の労働力不足からだけではなく、少なくともその会社の運転手という職に現時点でそもそも魅力が足りないからと考えられる。そうした労働者に、地域貢献という「誇り」をもてというのは経営者の勝手だが、それが感じにくいものとなっている現代社会の生活の厚みのほうが、より説得力のあるものとして感じられる。

経営者と労働者のこうした行きちがいが起こる最大の背景は、地方都市への消費社会のますますの浸透が、現在の労働の具体的なあり方を深く揺さぶっていることである。消費社会の拡大は、ロードサイドやモールで、誰にも邪魔されず、好きな商品を買う自由をいっそう大きなものにしている。しかし一方でそれは、わたしたちの労働を厳しいものにもする。消費の資金を得るために、労働にいっそう縛り付けられるからだけではない。より問題になるのは、消費社会で消費者の選択の権利がますます強められていくことであり、またその反面として労働者にはより正確かつ気の抜けない作業と奉仕が要求されることである。

とくにそれが顕著になるのが、広い意味での対面的なサービス業である。サービス業では、労働が直接商品の内容になるという意味で、どの消費者も公平に、しかしどの人もできるかぎり「もてなす」という矛盾した要請が労働者に突きつけられる。そうした消費者の要求の厳しさを極端なかたちで示すのが、「クレーマー」や「モンスターペアレンツ」といった近年話題になった社会現象である。前者は一般的に、後者は教育サービスに対し、消費者としてより価値ある対価を求める者を意味している。それらの人びとはしばしば勝手な者として非難されることが多いが、考えてみれば、金を払う代償として充実したサービスを求めることはこの社会では多かれ少なかれ正当な権利として認められている。その意味で彼、彼女たちは、消費社会を生きるわたしたちの極端な自画像としてあるといったほうがよい。

もちろん消費者の厳しい要求は、とくに地方都市では、これまで良かれ悪しかれ、抑制されてきたものでもある。地域に職をもち、子供を学校に通わせている状況では、店の者は同時に近隣の住民であったり、取引先、縁者、または子供の同級生の親であったりする。そうした人びとに消費者として一方的な注文をつけることは躊躇されたのだが、しかし現在では、そうした足かせも少なくなりつつある。ロードサイドや郊外で消費する匿名の誰かとして、同じくそこで一時のあいだ働いている匿名の誰かに注文をつけることは、かならずしもむずかしいことではないためである。

その結果として、現代社会には、消費の自由が労働の不自由を招くという負のスパイラルがますます大きくなっている。労働者として消費者に向き合う辛い体験を、そのまま自分の内部に抱え込むことができる人は珍しい。多くの者が、そうした経験を踏まえ、逆に消費者の側に回った時、他の労働者に得てして「自分はおこなった」という厳しい目を向けてしまう。消費者の目線がそうして巡り巡って労働に内面化されていくのであり、その結果、労働をいっそう厳しいものにする負のスパイラルが現代の消費社会には、止めがたいものになっている。

だからこそ現在の地方都市で、労働が「誇り」の源泉となると考えることは安易すぎる。そもそも消費社会において、わたしたちは地域にではなく、消費者に対してますますの奉仕と従属が求められているのであり、それが誇りと尊厳を労働からいっそう奪う。消費者にただ従属する奉仕者へと労働者が変えられていくためだが、それに耐えられなかった場合に、やめて移動できる他の職場が豊富なだけ、大都市はましといえるのかもしれない。地方都市で働く者はしばしば転職の機会を失ったまま、耐えがたい仕事でもプライドを売りつつ、そのまま続けていかなければならないためである。

そうした地方都市における労働の厳しい現在の一端をよく示すのが、先にも触れた富田克也監督の別の映画、『サウダージ』（二〇一一）である。甲府やその周辺で働く土方たちを主人公としたその映画で興味深いのは、そこでの土木労働が単調で、主人公たちを縛る無意味なものとして描かれていることである。現代社会では、土木労働は特殊な免許や機械操作技術の取得、さらに経験を必要とするますます高度な職になっている。にもかかわらず登場人物たちは、その仕事に尊厳や誇りをもつことができない。とはいえ他に同等の給与を稼ぐ職も地方都市ではみつけがたいのであり、その代償として彼らはヒップホップやタイの文化、またはドラッグなどに没頭していく。

こうした土木労働の現在の暗黙の、しかし逆説的な参照項になっているのは、おそらくかつて中上健次が描いた土木労働だろう。秋幸サーガと呼ばれる作品群のとくに『岬』（一九七六）や『枯木灘』（一九七七）のなかで中上健次は、紀州新宮という地方都市の周辺において営まれる土木労働を、絶対的な救いのように描いていた。「土」や「夏の暑さ」といった自然と交わる行為として、土方労働は入り組んだ血縁的人間関係から秋幸を解放するほとんど性行為に近い至福の快楽になった。いや、性行為以上のものというべきである。性行為が親子や兄弟姉妹といった複雑な関係を産むしがらみにあくまで留まるのに対し、土木労働はそうした人間的関係の外部に出る企てを意味しているためである。

しかし『サウダージ』では、至福の瞬間は最後まで訪れない。土木労働は登場人物に満足をもたらさず、とはいえ一定の生活が可能な「豊かさ」をまがりなりにも保証するという意味では、逆に主人公たちを地方都市へと縛りつける鎖にさえなるからである。こうした労働の表現のちがいには、表現者の資質以上に、労働を意味づける時代や社会のより構造的な変化を考えてみなければならない。かつて中学を出て徒弟的関係に入れば、土木作業者は同輩の者たちがもらえないような高い給与を得ることができた。そうして土木作業者は地域カーストのある意味では上位に登ることもできたのだが、しかし今では土木労働も公共投資を減らすことを目指す市民＝消費者の厳しいコストカットの目線にさらされている。それを前提として、従来以上にドライで、複雑な下請け関係が土木労働者を縛っているのであり、土木労働をますます世知辛い仕事にするそうした社会的な構造を前提に、『サウダージ』で労働は出口をもたない仕事のように描かれているのである。

もちろん、それは一例にすぎない。消費社会が地方都市に侵食し、消費の喜びが拡大していくなかで、逆にサービス業や肉体労働にかぎられない、ますます多くの仕事から誇りや尊厳が奪われているのではないか。そのことを、最後に再びY市に戻り、その周辺を描いた阿部和重の小説から確認しておこう。

阿部和重は、『シンセミア』（二〇〇三）や『ピストルズ』（二〇一〇）などを代表に、Y市から程近いH市周辺を舞台とした小説群を精力的に発表してきた。その物語のひとつの特徴になるのが、主要な登場人物たちがしばしば真剣に労働に従事していないことである。なるほど主人公たちは、まったく職をもたないわけではない。学生を別にすれば、パン屋や本屋、レンタルビデオ屋や不動産屋や農家、警官や新聞配達人など、出てくる人びとは自営業者を中心とした何らかの職業に就いていることが普通である。ただし彼・彼女たちはそうした職業に情熱を注いでいるわけではない。仕事は誇りや矜持ではなく、退屈と倦怠をもたらすだけであり、だからこそ登場人物たちはしばしばそれに飽き、職業人であることを自分の大切なアイデンティティとはしていない。その代わりにむしろ彼・彼女たちは独自の趣味に没頭するか、地域を舞台にしたうわさ話にふけるのであり、そのはてにしばしば暴力的な事件に巻き込まれてしまうのである。

こうして阿部和重は、労働を空洞化する巨大な力に巻き込まれることを一因として、しばしば地方都市を退屈で屈託に溢れた場として描きだす。「豊かさ」を享受するために、ほとんどの者は仕事を辞めることができないが、しかし消費社会のなかで働くことはいっそう不安定なものになるばかりではなく、消費者に従属した世知辛いものになっている。つまりそれはわたしたちが生きる可能性を拡大するのではなく、むしろ「尽きなく」生きる可能性を人びとから奪うものにますますなっているのである。

それを補うために、本書でみてきたように、わたしたちは快適な住居を買い求め、自動車を飛ばし、まちづくりに参加するのだろう。しかしこうした直接、間接的な消費が、最終的に労働の空虚さを補ってくれるようにもみえない。消費の高進がますます自他の労働を世知辛いものにするといったスパイラルが働くなかでは、消費に労働から失われた「誇り」の代償を求めることは、終わりのないイタチごっこにしばしばなるしかないためである。

おわりに

地方都市を考える？

こうして本書は、空き家や高層マンション、鉄道や自動車、メディアや観光やまちづくり、ロードサイドビジネスやショッピングモール、そして流動化する労働などを対象として、地方都市のおもに消費にかかわる多様な「現在」の姿をあきらかにしてきた。それを通過した上で、今、読者は何を思うのだろうか。

描かれた地方都市の姿は、ただあかるいだけのものではなかったはずである。だからこそ多くの人びとに浮かぶのは、ではどうすればいいのかという疑問であるのかもしれない。

しかし本書は、その問いに答えることを直接の目的としていない。ひとつには最初に述べたように、ここでの目的は何より「邪念」なく地方都市を考えることにあるからである。地方都市への「消費社会」への浸透は、集団・家族生活のあり方や個人の趣味、嗜好を大きく変えている。住宅の商品化は、親子であれ別れて暮らすことを普通とすることで空き家を増加させ、自動車の普及は都市のまとまりを分解し郊外化を加速する。さらにそれらを前提として、ロードサイトにはチェーンストアやモールが林立し、より自由な消費を促すとともに、流動化された雇用の場をつくりだしている。こうして消費社会の浸透を追い風として、地方都市の人びとはますます私的な生活を送り始めているが、しかしそれを安易に「問題」とみなしてはならない。これらの現象も、地方都市で人びとがそれぞれの幸福を追求するなかで産まれたという意味では、それ自体としては切実な「成果」としてあり、それを安易に問題化し解決を探ることは、しばしば過去にしがみつく偏った立場から、地方都市の暮らしを断罪するものにしかならないためである。

ただしこうした応答は、一方ではひとつの逃げ方にすぎないともいえる。もうひとつの答えは、「地方都市を考える」ことにおいて、もうすでにわたしたちは問題解決の糸口についているというものである。考えることは、たしかに直接的な解決策を産みだすわけではない。しかしそれは現象が何であるかをしばしば明確にすることで、少なくともその擬似的な解決策を塞ぐことに役立つ。

たとえば第4章でわたしたちは、現在地方都市の労働が、消費者の要求の高まりによって、些末な規則に縛りつけられるという袋小路に陥っていることを確認した。しかしそれを、地域に貢献するものと讃えるという「解決」は、イデオロギー的な欺瞞に留まるものでしかない。必要になるのは、むしろ逆に「地域のため」といった思い込みを捨て、この社会で労働がもつ意味を拡大して考えることである。消費者に従属し、それに直接応えるだけではなく、みずからの「自己倫理」に従い働くことをむしろ「誇り」とすること。そしてそれは、労働力を商品化することを通じておこなわれる通常の労働以外の多様な活動を、仕事のうちに含め再評価していくことを当然含む。

実際、具体的にみれば、高度資本主義のなかでは、あらゆる労働や活動が、他人の何かしらの営みを前提としておこなわれている。別の地域の片隅の人が自分のために趣味のようにおこなう実践が、他の地域の人びとの生活を豊かにすることもあるのであり、それを無視して、地域のためにみえやすい活動をしている賃金労働者だけを褒め称えることはリアリティを欠いている。たしかにそれ以外にロールモデルがないことで、既存の労働の体制をはみだす人びと――ニートや主婦、学生や高齢者、さらにはフリーの人びと――を貶める見方が地方都市ではしばしば堅固だが、それは自分の狭い生き方を正当化するものでしかなく、その結果、自分の逃げ道も塞ぐという意味では、ますます労働を空虚で世知辛くするようにしか働かない。

それを一例として、日々の生活では、わたしたちは先人や隣人に倣う、習慣的な活動のなかに埋没しているが、「考える」行為は、それが本当は無意味なものではないのかと問いかける。つまり「考える」ことは、地域で当然とされている価値や習慣を疑わせることで、より普遍的なものと対峙させる機会になる。そうした問いなおしは、たしかに現実の富をすぐに地域にもたらすものではないかもしれないが、逆に地域（とみられてきた政治、経済的な何か）に貢献しなければならないという狭い思考を相対化し、それに縛られない生き方を勇気づけることにおいてだけでも、わたしたちの生活を変える力をもっているのである。

柳田國男に倣って

そうして「考える」一例になったことを本書は望むが、もちろんこうした実践は、わたしたちが初めておこなったものではない。蛇足かもしれないが、本書の取り組みの意味を明確にするために、「地方都市を考える」ことを先取りし、それゆえ本書の模範になった実践として、柳田國男の試みを取り上げておこう。意外にみえるかもしれないが、柳田國男は近代の歴史のなかで地方都市または地域社会の衰退に真摯に向き合い、それをいかに考えていくべきか真剣に格闘した最初の人物といえるためである。

そのことを具体的によく示すのが、「田舎対都会の問題」(一九〇七)(『柳田國男全集 第二巻』筑摩書房、一九九七年)というテキストである。これは柳田が民俗学者となる以前の官僚時代に著したものだが、そこで柳田は、田舎から人口が都会に流出するという問題について検討している。日露戦争が終わった直後の時代、戦勝によって人心がふらつくなかで、田舎からの移住によって、「大都会に於ける人口の増率は日本全国の平均率よりも遥に上」で、「田舎だけの人口増率は之に反して低くなって」いるという現象がみられた。それに対して田舎からの人口流出を抑える政策が叫ばれたことは、今の時代と同じである。たとえば柳田は、当時の帝国大学農科大学教授横井時敬が、人口流出を「都会熱」と呼び批判していたことを挙げている。

しかし興味深いことに、柳田自身はこうした地方からの人口流出を、頭から批判しなかった。都会には働く場所があり、学ぶ機関もある。それゆえ「智恵があり気力がある田舎の住民が都会に向って移住を企つるといふことは其人に取つては少しも誤つたる方針ではない」とさえ、柳田はいうのである。

この見方は、現代でも有効だろう。学ぶ機会や働く場所の多寡という意味では、地方から大都市に向けての人口移動は今でも一定の合理性をもち、だからこそ移動をむやみに止めようとする施策には無理がある。そのキャンペーンにかけられる労力や金が、無駄になるからだけではない。柳田もそうだが、人口移動の対策を訴える者は、その時代においても都会に出る／いることで個人的な出世の糸口を掴んだ官僚や学者が多かった。にもかかわらず、他の人びとに地方に留まれということは、倫理的に正当化しがたいのである。

とはいえ柳田は、村から都市への人口流出に諸手を挙げ賛成したわけでもない。短期的な「個人の利得」とは別に、柳田は人口流出は長期的にはやはり害があるとみなしている。その根拠になるのが、「家の永続と云ふ問題」である。地方を出る者が増えれば、田舎の家は弱体化し、ついにはその存続さえ危険になる。そうして「ドミシード即ち家を殺すこと」まで引き起こすからこそ、人口流出は問題であると柳田はみたのである。

なるほどこうした議論の展開は性急であり、当時においてさえどこまで納得されたかは疑わしい。なぜ「個人の利得」を捨ててまで、家を守る必要があるのだろうか。柳田自身も、それが完全に腑に落ちていたようにはみえない。だからこそ柳田は後に民俗学者となり、家が何であり、なぜそれが守られなければならないかをあきらかにするために、気の遠くなるほどの研鑽と分析とを重ねていくのである。

とはいえ柳田の議論から、学ぶべきこともある。重要なことは、「個人の利得」をより根本から規定する（だろう）長期的かつ集団的な幸福を「考える」ことから、柳田が地方の問題に対峙したことである。後に柳田は、家とは人を幸福に死なせ、そしてそれゆえ生きさせる根拠だったことをさまざまな材料から主張していく。人びとはつねに家の先祖に見守られ、また死後にはその集団的魂の一部になると信じることで、安らかに死に、またたからこそ安心して生きることができた。この家があたえる満足と安心に比べれば、都会があたえる浮薄な「個人的利得」は、たしかに無に等しいものにみえるはずである。

もちろん柳田が主張する家の価値を、ここでそのまま受け入れろといいたいのではない。そもそも永続する家という主張は、柳田の見解に反し、今では妥当なものとは想定しがたくなっている。家が現にすでに弱体化したからだけではない。近年の歴史学は、少なくとも大衆的規模では、家が近世初期以来一般化した比較的あたらしい現象であることをあきらかにしているのである。

しかし大切になるのは、こうした柳田の思考の中身ではなく、むしろその思考の方法や基準である。柳田は、たんに「個人の利得」という常識に従うのでも、郷土愛といった空疎な題目に訴えるのでもなく、わたしたちの生活を幸福の根本という観点から考え直すことで、地方の衰退という問題に取り組もうとした。つまり柳田は、個人的な利害を背後から規制するより根底的なライフスタイルを問い詰めることによって、人口流出という問題に対峙する。そしてその裏には、もし「理想の暮らし」と関係しないとしたら、地方の衰退もやむなしとする厳しさが潜んでいるのである。

それに倣い、わたしたちも何が「理想の暮らし」で、それを実現していくために地方都市がどうかかわるのかを真剣に考えていかなければならない。わたしたちが幸福であるために、地方都市が本当に必要なのかを問うことが大切なのであり、逆に地方の暮らしを第一のものとして窮屈な生活を押し付ける——地方に残ることを学生の奨学金の返還免除の条件にするなどして——ことは本末転倒でしかない。もし理想の暮らしに、地方都市の存続が関係ないとすれば、たとえば「地方創生」という題目の元、大量の金を地方につぎ込むことは、あきらかに政策的に正当化しがたいのである。

では「理想の暮らし」とは何なのだろうか。それは読者がそれぞれ思考していくべきことだが、議論を重ねつつみえてきた本書の暫定的な結論としては、幸運にも——かどうかはわからないが——、わたしたちにとって望ましい暮らしは地方都市の存在と深くむすびついているようにみえる。

大切になるのは、地域に固有とされる伝統や、また地方生活のたんなる経済的気楽さではない。それ以上に重要なのは、消費社会の浸透とともに、地方都市に私的な欲望の追求を肯定する場がますます拡がっていることである。ロードサイドやモールで購買活動が自由におこなわれ、より流動的な仕事の場がつくられ、安価かつ快適な住戸の消費が積み重ねられるなかで、他人に邪魔されないより多様な暮らしを追求する可能性が地方都市に産まれている。もちろんよいことばかりではないにしろ、それが従来の家族や仕事や地域、あるいは人間そのものの概念さえ拡げるあらたな生き方や考え方を、たとえかすかな可能性としてであれ、提示し始めているという意味で、そうしたライフスタイル（＝生存の様式）を守り育てることが、地方暮らしの人にとってだけではなく、より広く現在を生きるわたしたちにとって大切な課題になるはずなのである。

もちろんだからといって、地方都市の生活のすべてが肯定されるわけではない。わたしたちが大切にしたいのは、地方「都市」の生活であり、つまりそこに産まれる消費社会を前提とした多様性である。それを充分に育てるためには、地方都市も深く変わる必要がある。たとえば地方都市がこれまでどおり、安定的で定住的な社会としてあることが望ましいとはいえない。東京ではいっそうそうだが、移動の停止は地方都市にカースト的秩序をますます強固にしている。それに対して少しでも地方都市の流動性を高めることが必要になる。

そのためには、たとえば地方都市群が分散して、また安定して存在していることが大切になるだろう。たんに短期的な観光の目的地としてだけではなく、より長期的な滞在、またさらには住み暮らしていく現実的な選択肢として、地方都市的暮らしが確実に点在していること。それを実現するためには、地方都市に今以上に快適な住居や長期滞在の場所、より多くの情報消費と生産を可能とする環境、さらには雇用の流動化やそれを支えるより広いセーフティネットなどが実現されなければならない。それらが現実化されるならば、地方都市や大都市を人生のライフステージに応じ、長期的または短期的に渡り歩く生活が、もう少し容易になるかもしれない。それはつまりネットワークとしての地方都市が大都市を飲み込むということであり、その結果として、大都市と地方都市といった固定化された差異が解体されるということでもある。

以上のように、地方都市は大都市に従属するものとしての既存の意味を弱めるかぎりにおいて、消費社会の拡大によって「理想の暮らし」のゆりかごになる可能性を孕んでいる。私的な欲望の追求がより肯定され、それゆえ多様な者を受け入れ、暮らせる場がつくられること。もちろんこれはわたしたちの暫定的な理想にすぎず、それに反対する者もいるだろう。たとえば地域に出入りする人口が増える結果として、地域の秩序はさらに流動化し、それによって形式的には定住する人口は減るかもしれない。そのことに、自治体職員や政治家がすぐに同意するとは考えにくい。それは税収や票田といったかたちで、彼、彼女たちが生活の糧にする権力関係や経済関係を揺るがすことに直結するためである。

しかしそれを含め、くりかえすならば何がわたしたちにとって理想の暮らしになるのか「考える」ことから、議論を始める必要がある。何のために地方都市が必要であり、またそれがどう変えられていくべきか。それをもう一度、真摯にかつ知的に考える作業こそが、地方都市で進んでいる暮らしの変革を推し進め、または抵抗するために重要になる。

現代の「消費社会」は良くも悪くも、人間の生活や文化に対してこれまで信じられてきた「常識」を根底から揺るがしている。何を楽しみとし、大切なものとすべきものなのか、「資本」の論理が貫通するなかで、根底から問い直されているのである。それを踏まえ、ではより具体的にいかなる仕事や家族生活、交通形態や住居のかたちが望ましいかを探る必要がある。地方都市を考えることは、そのための貴重なきっかけになるのであり、逆にそれがなおざりにされるならば、現在叫び続けられている「地方創生」の掛け声も、これまで無数にくりかえされてきた地方活性化の題目と同様に、政治家や行政や評論家を潤すだけの無意味な狂騒に終わるしかないだろう。

あとがき

「わたしたちが生きている社会のあり方をあきらかにする」ことが社会学のもっとも初歩的で、しかし大切な使命だとすれば、本書はその無防備な試みである。「無防備」、というのは、本書は充分準備された最終報告ではなく、あくまで中間的な仮説に留まっているからである。

これまで筆者は、わたしたちが生きている消費社会の奥行きを探るために、一七世紀以来の消費の進展の分析――性や身体と消費のかかわりの研究――と、現代の消費社会の分析――住商品やサブカルチャーや死にかかわる文化の研究――を続けてきた。それは他人から見れば分裂した試みにみえてきたかもしれないが、本人にはそれなりに必然性もあった。わたしたちの社会は過去から規定する力と、未来に進んでいく力の両面に引き裂かれながら、予定調和なく営まれている。その両者を同時に把握することが、現在を理解するために必要と考えられたからである。

しかしこうした研究には問題もある。社会が終わりのないものである以上、そうした研究には、なかなか結論じみた着地点がみいだしがたい。それは論理的にまちがっているわけではないとしても、研究成果を謙虚に社会に問うという意味では、やはり問題も残る。

だからこそ本書は、これまでの研究成果を織り込みつつ、あえて現代社会のできるだけ率直な記述を試みたものである。その意味で本書は今後より具体的に検証されるべき仮説を多く含んでいるが、しかし一種の中間報告として、現代社会のあまり描かれていない姿に光を当てることにも一定の意味はあると考えられる。

そのための主題になったのが、「地方都市」である。この主題は、わたしにとって偶然的であるとともに、必然的なテーマである。偶然というのは、現在の仕事場に五年前に赴任することがなければ、この本は書かれなかったはずだからである。

しかし、「地方都市」についてこれまで関心がなかったわけではない。本州の西の端の地方都市に産まれ、一八歳まで過ごしたものとして、大学入学以来、暮らした大都市に生きる人びとの感性や生き方は興味深いものだった。なぜ生まれた場所を一番の場所と信じ、そのまま受け入れていくことができるのか、わたしにはなかなか腑に落ちなかったが、そうして生きる人びとに大都市で数多く出会ったのである。

たとえば「地方都市には怖くて住めない」と友人から聞いたことがある。大都市生まれの人にとって、地方都市の暮らしは闇のなかで、選択しがたいものであるらしい。そうした人びとに対して、地方都市の暮らしがどのようなものであるのか、わたしなりの見方を提示したいと思ったのが、本書を書くひとつの動機になっている。もちろん本書は、地方の魅力を飾り立て、そこでの暮らしを安易に誘惑するようなものにはなっていない。しかしそれでも大都市に暮らす人びとにも、選ばれなかった生き方のひとつの可能性として、地方暮らしの楽しみと憂鬱を少しでも想像し理解する糧にしていただければ幸いである。

＊　＊　＊

本書を書く上で、直接挙げたもの以外にもさまざまな先行研究を参照した。そのすべてに触れることはできないが、本書を書く上でなくてはならなかった二つの書を最低限挙げさせていただきたい。

ひとつは多木浩二先生の『都市の政治学』（岩波新書、一九九四年）である。都市を「資本」というゼロの力が貫いていることをその書は、具体的かつ平易に論じている。その本が書かれてすでに二〇年以上経ち、ではそれが現在、いかなるかたちになっているのかをもう一度考えてみたいと思ったのが、本書を書くひとつの具体的な動機になっている。

たしかに地方において、現在、都市をグローバルなものにひらくゼロの力は、一種の閉塞に陥っているようにもみえる。バブル以後の停滞が、地方都市を「世界」から島宇宙のように取り残したからだが、とはいえそれはより内面化され、地方都市を生きる人びとのライフスタイルや感性を大きく変えている。この二〇年間で置いていかれたのは、国家権力と強くむすびつくことで何とか維持されてきた大都市のほうなのかもしれず、本書は、だからこそ「地方都市」を舞台として、「消費社会」の名のもとに「資本」というゼロの力を探るひとつのフィールドワークとしてつくられている。

もうひとつは、内田隆三先生が編集した「生きられる東京：都市の経験、都市の時間」(『10+1』№39、二〇〇五年)という特集である。東京という都市のもつ社会学的な意味を、そこに生きる集団の具体的な動静やそれが生きる場所から探るという方法論を、地方都市でどう実現することができるのか、本書は不充分ながらそれに取りくんだ試みでもある。

そうしたふたつの都市にまつわる貴重な知的達成と対話しつつ、本書は書かれているが、もちろんそれ以外にも多くの人びとの具体的な助けを借りた。まずは本書のいくつかの断片を初めて書かせていただく場所を頂いた滝口克典氏をはじめとする読書会『ひまひま』メンバー諸氏への感謝を省くことはできない。滝口氏には、さらに本書を直接検討していく場となった研究読書会「地方都市を考える」でもお世話になったが、そうしたきっかけと助けがなければ本書は書かれることはなかったはずである。

また学生を含め、わたしがこれまで山形市で出会い、話をさせていただいた多数の人びとにも当然、感謝したい。そうした人びとの情報提供やまたは生き様の提示がなければ、そもそも本書は構想されることはなかった。

それらの人びとに対して、本書がけっして意地の良いものになっているとはいえないかもしれないという意味で深く恐縮するが、しかしこれでも本書は、地方都市の暮らしについてできるだけ公平かつ真摯に考えようとしたものである。「はじめに」でも書いたように、地方都市のひとつの問題は、その魅力や問題に対するいずれにしても言説の不足にある。紋切り型の理解がくりかえされるなかで地方都市はその存在感を消されているのであり、だからこそそれをはみだす多様な語りが必要とされる。そのひとつになることを希望して本書は書かれたが、その意味でこれをひとつのたたき台として、本書を不満に思う人からも、地方都市にかかわるあらたな知的冒険がつながれていけば幸いである。

参考文献

（本文で直接言及したもの。ただし本文中取り上げたなかでも、統計等の確認のために参照した報告書、サイトなどは煩瑣になるため省いた。）


阿部真大『地方にこもる若者たち：都会と田舎の間に出現した新しい社会』朝日新聞出版、二〇一三年。

クリス・アンダーソン（小林弘人監修、高橋則明訳）『フリー：〈無料〉からお金を生みだす新戦略』日本放送出版協会、二〇〇九年。

青木栄一『鉄道忌避伝説の謎：汽車が来た町、来なかった町』吉川弘文館、二〇〇六年。

ジグムント・バウマン（伊藤茂訳）『新しい貧困：労働、消費主義、ニュープア』青土社、二〇〇八年。

ジャン・ボードリヤール（田中正人訳）『アメリカ：砂漠よ永遠に』法政大学出版局、一九八八年。

独立行政法人労働政策研究・研修機構『都市雇用にかかる政策課題の相互連関に関する研究』二〇〇六年。

マイク・フェザーストン、ナイジェル・スリフト、ジョン・アーリ（近森高明訳）『自動車と移動の社会学：オートモビリティーズ』法政大学出版局、二〇一〇年。

古川美穂『ギャンブル大国ニッポン』岩波書店、二〇一三年。

Joel Garreau, *Edge city : life on the new frontier*, Doubleday,1991.

服部圭郎『道路整備事業の大罪：道路は地方を救えない』洋泉社、二〇〇九年。

平井俊哉『郊外型商業パワーの脅威：ロードサイドショップや郊外型SCが新しい商業地を創造する』ぱる出版、一九九四年。

平山光『ロードサイドショップ　開発・賃貸借の実務：遊休土地を有効活用する視点とケーススタディ』日本実業出版社、一九九五年。

平山洋介『東京の果てに』ＮＴＴ出版、二〇〇六年。

平山洋介『都市の条件：住まい、人生、社会持続』ＮＴＴ出版、二〇一一年。

久繁哲之介「地方都市で進む「消費の郊外化、在宅化」」『Urban Study』Vol.44、二〇〇六年。

五十嵐敬喜、小川明雄『道路をどうするか』岩波書店、二〇〇八年。

石黒格・李永俊・杉浦裕晃・山口恵子『「東京」に出る若者たち：仕事・社会関係・地域間格差』ミネルヴァ書房、二〇一二年。

角野幸博『郊外の20世紀：テーマを追い求めた住宅地』学芸出版社、二〇〇〇年。

鎌田慧『橋の上の「殺意」：畠山鈴香はどう裁かれたか』講談社、二〇一三年。

菊地敬一『ヴィレッジ・ヴァンガードで休日を』新風舎、二〇〇五年。

木下斉、広瀬郁『まちづくり：デッドライン：生きる場所を守り抜くための教科書』日経ＢＰ社、二〇一三年。

ナオミ・クライン（幾島幸子訳）『ショック・ドクトリン：惨事便乗型資本主義の正体を暴く』（上）（下）、岩波書店、二〇一一年。

小林純子・設計事務所ゴンドラ『心に響く空間：深呼吸するトイレ』弘文堂、二〇〇九年。

倉沢進『日本の都市社会』福村出版、一九六八年。

九州経済調査協会『地域浮沈の分水嶺：拡大する地域格差と九州経済　九州経済白書』九州経済調査協会、二〇〇八年。

牧野知弘『空き家問題：1000万戸の衝撃』祥伝社、二〇一四年。

増田寛也編著『地方消滅：東京一極集中が招く人口急減』中央公論新社、二〇一四年。

マーシャル・マクルーハン（栗原裕・河本仲聖訳）『メディア論：人間の拡張の諸相』みすず書房、一九八七年。

見田宗介『まなざしの地獄：尽きなく生きることの社会学』河出書房新社、二〇〇八年。

三浦展『東京は郊外から消えていく！：首都圏高齢化・未婚化・空き家地図』光文社、二〇一二年。

森口朗『いじめの構造』新潮社、二〇〇七年。

中村淳彦『日本の風俗嬢』新潮社、二〇一四年。

中山登志朗「都心タワーマンションに群がる富裕層たち」『Diamond Online』（http://diamond.jp/articles/-/62463）。

鳴海邦碩『アーバン・クライマクス：現象としての生活空間学』筑摩書房、一九八七年。

西川祐子『借家と持ち家の文学史：「私」のうつわの物語』三省堂、一九九八年。

西村晃『GS世代攻略術：「最後の富裕層」に買わせる！』PHP研究所、二〇一〇年。

小田光雄『「郊外」の誕生と死』青弓社、一九九七年。

大澤真幸「解説」見田宗介『まなざしの地獄：尽きなく生きることの社会学』河出書房新社、二〇〇八年。

ジョージ・リッツア（山本徹夫、坂田恵美訳）『消費社会の魔術的体系：ディズニーワールドからサイバーモールまで』明石書店、二〇〇九年。

SC経営士会『SC経営士が語る　新・ショッピングセンター論』繊研新聞社、二〇一三年。

貞包英之「住居と感覚水準」遠藤知巳編『フラット・カルチャー：現代日本の社会学』せりか書房、二〇一〇年。

貞包英之、平井太郎、山本理奈「東京の居住感覚のソシオグラフィ：超高層居住をめぐる総合的調査に準拠して」『住宅総合研究財団研究論文集』No.35、二〇〇九年。

桜田勝徳「交通と生活」開国百年記念文化事業会『明治文化史　一二』日本評論社、一九九二年。

佐野眞一『別海から来た女：木嶋佳苗　悪魔祓いの百日裁判』講談社、二〇一二年。

サスキア・サッセン（伊豫谷登士翁監訳）『グローバル・シティ：ニューヨーク・ロンドン・東京から世界を読む』筑摩書房、二〇〇八年。

齋藤建作、二瓶亙、関口聡、三矢惠子「朝ドラ『あまちゃん』はどうみられたか」『放送研究と調査』二〇一四年三月号。

『商業界』編集部編『日本ショッピングセンターハンドブック』商業界、二〇〇八年。

篠原一博「SC業界の変化と、今後の展望」『SC Japan today』四六〇、二〇一三年。

菅原琢「自治体、競わされる理由は」『朝日新聞』二〇一三年八月二九日。

橘由歩『セレブ・モンスター：夫バラバラ殺人犯・三橋歌織の事件に見る、反省しない犯罪者』河出書房新社、二〇一一年。

橘木俊昭・浦川邦夫『日本の地域格差：東京一極集中型から八ヶ岳方式へ』日本評論社、二〇一二年。

冨山和彦『なぜローカル経済から日本は甦るのか：GとLの経済成長戦略』PHP新書、二〇一四年。

辻泉「なぜ鉄道オタクなのか：「想像力」の社会史」宮台真司監修『オタク的想像力のリミット：〈歴史・空間・交流〉から問う』筑摩書房、二〇一四年。

ジョン・アーリ、ヨーナス・ラースン（加太宏邦訳）『観光のまなざし［増補改訂版］』法政大学出版局、二〇一四年。
宇沢弘文『自動車の社会的費用』岩波書店、一九七四年。
山内マリコ『ここは退屈迎えに来て』幻冬舎、二〇一二年。
柳田國男「田舎対都会の問題」『柳田國男全集　第二巻』筑摩書房、一九九七年。
安田隆夫『ドン・キホーテ闘魂経営』徳間書店、二〇〇五年。
安村克己『観光まちづくりの力学：観光と地域の社会学的研究』学文社、二〇〇五年。

貞包英之（さだかね・ひでゆき）
1973年生まれ。東京大学大学院総合文化研究科超域文化科学専攻博士課程単位取得満期退学。現在、山形大学准教授。専攻 社会学・消費社会論・歴史社会学。
主要著作「戦後という時代の同一性：昭和天皇の像を巡って」（『ライブラリ相関社会学8〈身体〉は何を語るのか？』新世社、2003年）、「ジャパニーズ・カルチャーのレッスン」（『映画プロデュース研究』第4号、2009年）、「住居と感覚水準：超高層住宅論」（遠藤知巳編『フラット・カルチャー：現代日本の社会学』せりか書房、2010年）、「消費の誘惑：近世初期の遊郭における消費の歴史社会学的分析」（『思想』№1067、2013年）。

地方都市を考える――「消費社会」の先端から

2015年10月10日　初版第1刷発行

著者 ――貞包英之
発行者 ――平田　勝
発行 ――花伝社
発売 ――共栄書房
〒101-0065　東京都千代田区西神田2-5-11出版輸送ビル2F
電話　03-3263-3813
FAX　03-3239-8272
E-mail　kadensha@muf.biglobe.ne.jp
URL　http://kadensha.net
振替 ――00140-6-59661
装幀 ――黒瀬章夫（ナカグログラフ）
印刷・製本―中央精版印刷株式会社

ISBN978-4-7634-0755-9 C0036